Vampier in de school

www.paulvanloon.nl
www.dolfjeweerwolfje.nl

✓ Getipt door de Nederlandse
   Kinderjury.
♛ Bekroond door de
   Nederlandse Kinderjury.

Paul van Loon

Vampier in de school

met tekeningen van Hugo van Look

Leopold / Amsterdam

Voor Hadjidja en Manisha

AVI 8

Elfde druk 2007
© 1990, 2007 tekst: Paul van Loon
Omslag en illustraties: Hugo van Look
Auteursfoto: Sjaak Ramakers
Uitgeverij Leopold, Amsterdam / www.leopold.nl
ISBN 978 90 258 5177 4 / NUR 283

Inhoud

Nachtmerries

'Dag, meneer Post. Is Edje klaar?'

Jacko staat bij Edje op de stoep, precies om acht uur zoals elke ochtend. Het is een grijze maandag halverwege december en er zit sneeuw in de lucht. Edje zit bij Jacko in de brugklas van het Dr Stokercollege.

Edjes vader strijkt over de stoppels op zijn kin en geeuwt.

'Kweenie, Jacko. Ik ben zelf pas op. Ik heb hem nog niet gezien vandaag.' Hij draait zich om naar de trap en brult naar boven: 'Edje, Jacko is er. Je moet naar school.'

Er komt geen antwoord.

Edjes vader haalt zijn schouders op.

'Misschien ligt hij nog in zijn nest. Wil jij even aan zijn deur gaan rammelen? Ik ben net aan mijn ontbijt bezig.'

'Is goed meneer.' Jacko zet zijn boekentas in de gang en loopt de trap op.

Edjes vader sloft naar de keuken.

Het is doodstil in het huis. Edjes moeder is naar haar werk en net als Jacko heeft Edje geen broers of zussen. Boven aan de trap kraken de treden onder Jacko's voeten. Uit Edjes kamer komt geen geluid.

Als hij zich maar niet verslapen heeft, denkt Jacko. Dan missen we de bus van halfnegen. Hij klopt op Edjes deur.

'Edje, we moeten naar school.'

Geen antwoord.

Jacko klopt nog eens en doet dan de deur open. Het is schemerduister in de kamer. De gordijnen zijn nog dicht. Op het bed ligt een donkere, vormeloze hoop.

Jacko kreunt. Edje heeft zich inderdaad verslapen. Jacko loopt door het duister naar het raam en schuift met een boos gebaar de gordijnen open. Hij heeft geen zin om de bus te missen vanwege zijn luie vriend. Grijs ochtendlicht stroomt de kamer binnen. Het raam staat open en een kille wind doet de vitrage opbollen.

'Kom er nu maar uit, luilak,' zegt Jacko. Hij draait zich om naar het bed en trekt de deken met een ruk naar achteren.

Het bed is leeg.

Jacko fronst. Vreemd. Edjes kleren hangen slordig over een stoel en zijn sokken liggen op de grond naast het bed. Ze ruiken beslist niet naar viooltjes, denkt Jacko. Maar waar kan Edje zijn? Niet beneden, want dan had zijn vader hem wel gezien.

Jacko kijkt naar het open raam. Het lijkt wel of Edje op mysterieuze wijze in pyjama door het raam is verdwenen. Maar voor zover Jacko weet kan Edje niet vliegen. Hij kijkt naar buiten. De ruit is vettig, vol vingerafdrukken en krassen.

Die mag wel eens een keer gewassen worden, denkt Jacko. Dan klinkt er een zwak gekreun achter hem. Hij draait zich om, maar er is niemand in de kamer. Opeens sluit een ijskoude hand zich om zijn enkel. Jacko gilt.

'Maak alsjeblieft niet zo'n herrie,' mompelt Edje, 'mijn kop bonst als een heipaal.' Kreunend kruipt hij onder het bed uit.

'Sorry,' zegt Jacko. 'Het is natuurlijk de gewoonste zaak van de wereld dat jij onder het bed ligt om mijn enkel met je kouwe tengels beet te pakken. Wat doe je daar nou?'

Edje hijst zich kreunend op het bed en heft zijn handen afwerend op.

'Doe de gordijnen dicht. Dat licht is veel te schel aan mijn ogen.' Hij houdt zijn gezicht van het raam afgekeerd. Het wit van zijn ogen is doorschoten met rood, alsof er tientallen adertjes gesprongen zijn.

'Heb jij gisteravond soms aan de drankvoorraad van je ouders gezeten?' vraagt Jacko.

Edje kreunt opnieuw en duwt zijn hoofd onder de deken.

'Doe dat raam en die gordijnen nou dicht. Ik bevries hier zowat!'

'Tot uw dienst, meneer.' Jacko sluit het raam en trekt de gordijnen dicht. 'Maar nou heb je me nog steeds niet verteld wat je onder dat bed uitspookte.'

'Ik weet het niet,' mompelt Edje met zijn hoofd nog steeds onder de deken. 'De laatste tijd overkomt me dit wel vaker. Om de een of andere reden kruip ik in mijn slaap uit bed. En als ik wakker word lig ik eronder. Het komt allemaal door die nachtmerries, denk ik.'

'Nachtmerries?'

9

Edje is nu helder genoeg om zijn kleren bij elkaar te zoeken en zich aan te kleden.

'Ik vertel het je straks in de bus wel,' zegt hij, hinkend met een been in een broekspijp, terwijl hij zijn armen in een coltrui wurmt.

Het lijkt wel een wonder maar ze halen de bus van halfnegen nog. Edje moet zonder ontbijt naar school, maar hij heeft toch weinig eetlust, zegt hij. Ook voelt hij zich een beetje misselijk.

Hij ziet er bleek en mager uit, vindt Jacko. Edje knijpt zijn ogen voortdurend tot spleetjes. Heeft hij nog steeds last van het licht? Erg wakker lijkt Edje ook niet, want hij zit voortdurend te geeuwen.

'Oeah, wat heb ik een hekel aan school,' zegt hij. 'Al die kostbare tijd die je moet verspillen met leren. Zelfs thuis laten ze je niet met rust. Is hij ook al bij jou thuis geweest?'

'Wie?'

'De directeur. Hij bezoekt de ouders van alle brug-klassers. Vorige week was hij 's avonds bij ons. Wil op de hoogte zijn van de gezinssituatie van de nieuwe leerlin-gen. Vind je dat nou niet overdreven?'

Jacko haalt zijn schouders op. 'Ach, 't zal er wel bij horen als je op een middelbare school zit.'

'Nou, ik vind er niks aan,' zegt Edje. 'Ik heb het gevoel dat ik dag en nacht in de gaten word gehouden.'

Jacko lacht om het sombere gezicht van zijn vriend. 'Over overdrijven gesproken!'

De bus voert hen door de stille buitenwijken van de stad. Edje zakt onderuit op de bank en sluit zijn ogen.

Jacko stoot hem aan. 'Hé, niet in slaap vallen. Vertel eens over die nachtmerries.'

Edje zucht en legt zijn handen op zijn ogen.

'De laatste tijd heb ik voortdurend nare dromen.

Eigenlijk een steeds terugkerende nachtmerrie over een vampier.'

Jacko trekt een wenkbrauw op. 'Over een vampier?'

Edje knikt. 'Elke nacht heb ik dezelfde droom. Ik word wakker in het pikdonker. Dan wordt er op het raam geklopt. Ik stap uit bed en loop naar het raam. Ik wil niet maar ik moet wel.'

Met grote ogen kijkt hij Jacko aan. Ze zijn nog steeds rood.

'Iets dwingt me, weet je wel. Ik schuif de gordijnen open en ik zie hem. Zijn gezicht is wit als de maan. Zijn ogen zijn rood. Ik moet ernaar blijven kijken. Dan opent hij zijn mond en ik zie zijn tanden.'

'Zijn tanden?' Jacko begint te lachen. Maar hij stopt meteen als hij Edjes ogen ziet.

'Afschuwelijk zijn ze,' vervolgt Edje. 'Ze lijken te groot voor zijn mond. Hij houdt zijn hoofd schuin en buigt zich naar mijn keel.' Edje huivert. 'Vanaf dat moment houdt de droom steeds op. Alles wordt zwart en 's morgens word ik uitgeput wakker. Vaak lig ik onder het bed, alsof ik me daar voor mijn droom wil verstoppen. Soms ben ik zelfs misselijk.' Edje zucht en schokt met zijn schouders.

'Belachelijk, hè? Vampiers bestaan niet. Maar 's nachts, als ik in bed lig, lijkt het allemaal verdomd echt.'

Jacko kijkt Edje bezorgd aan. Zelf is hij opgegroeid met verhalen over vampiers en weerwolven. Zijn voorouders komen uit Roemenië, een land waar het stikt van de legenden over ondoden. Jacko weet alles van wezens die eigenlijk dood zijn maar toch rondwandelen en in het donker op zoek gaan naar bloed om zich mee te voeden. Zijn opa kent tientallen van die verhalen en hij vertelt ze vaak, net voor het donker begint te worden. Opa beweert dat er vroeger in de Karpaten, een bergketen in Roemenië, echte vampiers bestonden.

Dat zegt Jacko maar niet tegen Edje. Hij wil hem niet nog banger maken voor zijn nachtmerries.

Jacko begrijpt wel waar die dromen van Edje vandaan komen. Op vrijdag, de laatste schooldag voor de kerstvakantie, wordt in de schouwburg de jaarlijkse toneelvoorstelling gegeven voor de brugklassers. Dit jaar wordt het een vampiervoorstelling, een eigentijdse versie van *Dracula*. Dat wordt dus lekker een avondje griezelen en iedereen kijkt ernaar uit.

Ook Jacko kijkt uit naar vrijdag, maar niet vanwege de voorstelling. Hij gaat er niet heen, want hij vindt het een slap verhaal. Vrijdag wordt hij dertien jaar en dat is ook iets om naar uit te zien. Maar Edje heeft een kleine rol in het toneelstuk. Hij is een van de handlangers van de beruchte vampiergraaf Dracula en moet daarvoor een plastic vampiergebitje dragen.

'Je leeft je te veel in, Edje. Dat is alles. Misschien kun je beter niet meedoen als je er nachtmerries van krijgt. Dan kom je naar mijn verjaardag.'

'Ben je gek,' zegt Edje. 'Het is mijn eerste kans om op het toneel te staan. Dat heb ik altijd al gewild. Die dromen neem ik dan maar op de koop toe.'

'Je moet het zelf weten.' Jacko haalt zijn schouders op. 'Maar zoals je er nu uitziet, haal je het vrijdag niet eens.'

Na school is er in de schouwburg een repetitie van het toneelstuk. Hoewel hij er weinig om geeft, heeft Jacko Edje beloofd met hem mee te gaan. Edje ziet er nog steeds beroerd uit. Hij heeft het grootste deel van de dag in de klas zitten slapen. In elk geval heeft dat hem een beetje goed gedaan, want hij lijkt nu niet meer zo slaperig als vanochtend, vindt Jacko.

Wanneer ze uit de hal het plein op lopen, huppelt Sara ineens naast hen. Sara zit in een andere brugklas. Ze heeft een springerige bos rood haar en heldere blauwe ogen waar Jacko altijd een smeltend gevoel van krijgt. Ze draagt een blauw joggingpak en heeft een sporttas bij zich.

'Hoi, ga je mee kijken naar de repetitie?' vraagt Jacko.

Sara strijkt haar haren naar achteren en glimlacht. Jacko droomt wel eens van die glimlach. Dat zijn nooit nachtmerries.

'Kan niet.' Sara houdt haar sporttas omhoog. 'Om kwart over vijf moet ik op de turnclub zijn.'

'Jammer,' zegt Jacko.

Weer glimlacht Sara. Voordat ze zich omdraait werpt ze een blik op Edje.

'Jij speelt zeker de rol van Dracula?'

Verschrikt kijkt Edje op. 'Waarom zeg je dat?'

Sara haalt haar schouders op. 'Ik dacht het zomaar. Je ziet zo bleek, alsof je je gezicht geschminkt hebt om er als een vampier uit te zien.'

Ze haakt haar tas over haar schouder en loopt naar het fietsenhok. Edje werpt haar een boze blik na.

'Kijk niet zo somber,' zegt Jacko. 'Het is maar een grapje.'

Edje snuift minachtend. 'Stomme meidengrapjes.'

'Sara is niet stom,' zegt Jacko. 'Ik vind haar heel aardig.'

Het is vroeg donker deze tijd van het jaar en het plein is vol schaduwen. Als Jacko door de poort op straat kijkt, schrikt hij hevig. Aan de overkant staan drie gedaanten doodstil in het licht van een lantaarnpaal op de rand van het trottoir.

De zonnebrilbende, denkt Jacko. Ze staan ons op te wachten. Ze zijn terug.

Het is al meer dan een maand geleden dat de drie jongens die de zonnebrilbende genoemd werden spoorloos verdwenen zijn. Jacko en Edje waren er blij om. De drie waren de schrik van het schoolplein. Ze vernielden fietsen, smeten de inhoud van boekentassen in de modder, troggelden brugklassers onder dwang zelfs geld af.

En als je iets tegen je klassenleraar durfde te zeggen, ramden ze je gewoon in mekaar. Tot ieders opluchting kwamen ze op een dag niet meer opdagen en ook de weken daarna bleven ze weg. Niemand wist waar ze gebleven waren of wat er met ze gebeurd was.

David Kroon, een jongen uit Jacko's klas, had vrolijk het idee geopperd dat ze misschien wel vermoord waren. Maar over het algemeen werd aangenomen dat de drie gevlucht waren omdat ze iets op hun geweten hadden. Ze waren al eens eerder door de politie opgepakt wegens inbraak. De sensatie rond hun verdwijning is nu geluwd en het schoolleven gaat gewoon verder.

Jacko stoot Edje aan. 'De zonnebrilbende. Ze zijn terug. Kijk, daarginds aan de overkant.'

Geschrokken kijkt Edje naar de straat.

'Wat? Zijn ze terug? Waar dan? Ik zie niks.'

Jacko wijst naar de lantaarnpaal maar nu is het trottoir leeg. Hij ziet geen spoor meer van de jongens. Alleen drie vleermuisjes fladderen rond onder de kap van de lantaarn en verdwijnen dan in het schemerduister.

'Ha, ha, leuke grap,' zegt Edje. 'Ik schrok me te pletter, man.'

Jacko krabt achter zijn oor. 'Het was niet als grap bedoeld. Ik dacht echt even dat ik ze zag, maar ik zal het me wel verbeeld hebben. Of misschien waren het drie jongens die op hen leken. Toch is het vreemd.'

'Wat is vreemd?'

'Zag je die vleermuizen? Meestal zijn die diertjes rond deze tijd al aan hun winterslaap begonnen.'

'Tja, dat weet ik niet, professor,' zegt Edje. 'Waarschijnlijk lijden ze aan slapeloosheid of misschien hebben ze last van nachtmerries, net als ik. Ga je nou mee, of niet?'

Op dat moment komt een magere man de poort binnenlopen. Zijn pikzwarte haar is aan de wortels wit. Jacko kent hem wel, het is de nachtwaker. Jacko vermoedt dat hij zijn haar zwart verft. Altijd draagt hij een zonnebril waardoor je zijn ogen niet kunt zien. Meestal heeft hij een grote wolfshond bij zich, die hem vergezelt op zijn ronde door het gebouw.

Er is al een paar keer ingebroken op h̶ Stokercollege en er zijn computers en dvd-recorders gestolen. Daarom heeft het schoolbestuur een nachtwaker aangesteld die na school en 's nachts een oogje in het zeil houdt.

Edje houdt in, als de man met de hond hen nadert.

'Doorlopen Edje, dadelijk mis je de repetitie nog,' zegt Jacko.

Plotseling heft de wolfshond zijn kop. Grommend ontbloot hij zijn tanden.

Edje slaakt een kreet en deinst terug als de hond met een woeste grauw op hen af springt. Edje valt tegen Jacko aan, waardoor Jacko zijn evenwicht verliest. Zijn tas glipt onder zijn arm uit en hij valt achterover met Edje boven op hem.

Over Edjes schouder kijkt Jacko met Edje mee, recht in de opengesperde muil van de wolfshond.

Edje begint te gillen.

Een knokige hand

De nachtwaker handelt bliksemsnel.

'Vladimir! Af!' brult hij. Met twee handen trekt hij aan de lijn. Het dier wordt naar achteren getrokken, waardoor hij enkele tellen op zijn achterpoten staat, uitzinnig blaffend.

Jacko probeert weg te kruipen, maar Edje ligt nog steeds bovenop hem. Zijn armen en benen maaien machteloos over de grond.

Langzaam haalt de nachtwaker de lijn naar zich toe.

'Rustig maar, Vladimir,' zegt hij met zachte stem. Zijn lange vingers strelen de vacht van de hond. Jacko ziet aan zijn pink een glinsterende ring in de vorm van een vleermuis.

De hond bedaart onder de rustige stem van zijn baas, maar zijn blik blijft waakzaam op de jongens gericht en er smeult vuur in zijn ogen.

Jacko duwt Edje overeind en gaat staan. Edje wankelt op zijn benen. Hij houdt zijn ogen geen moment van de hond af.

De nachtwaker zit op zijn hurken en fluistert kalmerende woorden in de oren van de hond. Dan kijkt hij op. De zwarte brillenglazen tonen geen glimp van zijn ogen. Hij verontschuldigt zich niet. Met een korte hoofdknik maakt hij hen alleen maar duidelijk dat ze snel de poort uit moeten.

Jacko raapt zijn tas op en met zijn andere hand trekt hij Edje mee over het plein. Ze rennen door de poort.

'Ik snap niet dat die kerel met zo'n gevaarlijke hond op het schoolplein mag komen,' zegt Jacko. 'Rare vent trouwens, met dat haar en die zonnebril. Een nachtwaker met een zonnebril, wie heeft er ooit zoiets idioots gezien. Ik wed dat er 's nachts niet veel zon in onze school is.' Hij probeert luchtig te klinken, maar hij heeft bibbers in zijn benen.

'Hij moest mij hebben,' zegt Edje met trillende stem. 'Ik weet niet waarom, maar die hond moest mij hebben. Ik voelde het. Ik voelde zijn haat.'

'Ben je mal, Edje. Honden weten niet eens wat haat is. Dat beest werd gewoon hartstikke dol en die kerel deed net of het onze schuld was, de mafkees.'

Terwijl ze verder lopen kijkt Jacko nog een keer over zijn schouder naar de poort. Tussen de spijlen ziet hij het gezicht met de zwarte zonnebril. De nachtwaker kijkt hen na. De wolfshond staat naast hem en likt zijn hand.

De bus is weg en ze moeten een halfuur wachten op de volgende. De repetitie is al begonnen als ze in de schouwburg aankomen.

'Je bent te laat, Edje,' zegt meneer Lobit, 'het gedeelte waarin jij meedoet is al voorbij.'

Lobit geeft Nederlands en hij is de regisseur van het stuk. Hij heeft het verhaal ook zelf bedacht. Hij kijkt Jacko met een merkwaardige blik aan.

'Zo, Jacko, kom je ook eens kijken bij de repetitie. Jammer dat jij niet meedoet.'

'Ik hou niet zo van toneelspelen, meneer,' zegt Jacko.

Hij zegt liever niet dat hij geen zin heeft omdat hij het verhaal slap vindt. Het stuk lijkt helemaal niet op de echte legende van Dracula. De enige overeenkomst is de naam van de vampier. Het verhaal van meneer Lobit gaat over een graaf Dracula die in zijn doodskist ontwaakt met tandpijn, zoals meneer Lobit tijdens de Nederlandse les vertelde. Een paar andere vampiers, waaronder Edje, adviseren hem een tandarts op te zoeken.

Middenin de nacht klopt de zogenaamde Dracula bij een tandarts aan. Maar die is niet gek. Hij zet de beruchte graaf in zijn tandartsstoel en dient hem een flinke verdoving toe. Als Dracula eindelijk weer uit de tandartsstoel stapt, heeft hij geen tand meer in zijn mond. Het eindigt ermee dat hij zich door de tandarts een kunstgebit laat aanmeten, om niet voor schut te staan bij de andere vampiers.

Meneer Lobit is erg trots op zijn stuk, maar Jacko vindt het waardeloos. Een vampier met een kunstgebit: wie heeft ooit zoiets belachelijks gehoord?

In een echt vampierverhaal hoort bloed te vloeien, weet Jacko uit de verhalen van opa. Maar volwassenen als meneer Lobit denken altijd dat zoiets te eng is voor kinderen.

'Je komt toch wel kijken vrijdag, hoop ik?' zegt Lobit, terwijl hij Jacko nog steeds aankijkt. Jacko haalt zijn schouders op en mompelt iets onverstaanbaars.

Op het podium staan de spelers in een kring om meneer Lobit heen. Vandaag is de de laatste repetitie voor de generale, dus Edje heeft nog één kans om zijn rol te oefenen. De hele school zal komen kijken, vrijdag, inclusief alle leraren en de directeur.

'Tot nu toe lijkt het nog nergens op,' zegt meneer Lobit. 'Jullie moeten je rol helemaal uit je hoofd kennen.' Het zweet staat op zijn voorhoofd en hij wappert druk met zijn dunne, witte handen.

'De directeur heeft zelf voorgesteld dit jaar iets met vampiers te doen omdat hij weet dat jullie dol zijn op dat soort verhalen. Hij verwacht dat jullie er iets fraais van maken. Goed opletten allemaal.' Hij kijkt om zich heen.

'Waar is Tjaard nou weer gebleven? Jongens, zo zijn we om acht uur nog bezig. Alex, haal je mond leeg, vampiers gebruiken geen kauwgom.'

Jacko zucht eens. Zelfs aan de repetitie valt weinig plezier te beleven. Ongemerkt glipt hij aan de zijkant van het podium langs een zwart fluwelen gordijn en komt achter het toneel uit. Het lijkt hem veel interessanter om de schouwburg eens te verkennen dan het gezeur van Lobit aan te horen.

Achter het toneel is het donker. Jacko struikelt over kabels en krukjes. Via een zijdeur komt hij in de gang waar de kleedkamers zijn. Een tl-buis aan het plafond flakkert aan en uit. Aan het einde van de gang ziet hij een deur waarop hij met moeite het woord *Magazijn* kan lezen.

Jacko duwt de deur open en kijkt nieuwsgierig naar binnen. Hier is het iets minder donker. Boven in een muur is een raampje, waardoor licht van een straatlantaarn naar binnen valt. Het vertrek is volgestouwd met

decorstukken: bomen van hardboard, auto's, vuilnis-
bakken, kastelen, geschilderde bergen.

Zelfs schapen ziet Jacko en een grote maan van kar-
ton. Alles zo plat als een dubbeltje. Alsof hij midden in
een stripverhaal staat. Voor een tuinhek van triplex
staat een doodskist. Die wordt natuurlijk in het stuk
gebruikt, denkt Jacko. Vreemd dat hij niet op het toneel
staat.

Jacko loopt naar de kist toe en tikt op het deksel. Het
geeft een hol geluid. De kist ziet er griezelig echt uit
tussen de platte bomen, kastelen en bergen. Waar hebben ze dat ding vandaan? Misschien van de uitverkoop
van een uitvaartvereniging. *Heden in de aanbieding:
doodskisten tegen een spotprijsje.* Jacko grinnikt zachtjes.

Dan kraakt er iets. Het deksel van de kist beweegt
haast onmerkbaar, tot een smalle spleet zichtbaar
wordt. Met een kreet springt Jacko achteruit. Een hand
met knokige vingers komt door de spleet naar buiten.
De vingers kronkelen als spinnenpoten en lange,
klauwachtige nagels krassen over het hout. Langzaam
gaat het deksel verder omhoog.

Jacko stoot opnieuw een kreet uit als iets zijn schouder raakt. Het is een van de bomen. Jacko wankelt op
één been, verliest zijn evenwicht en valt naar achteren.
Met donderend geraas storten bomen, bergen, kastelen, schapen en de maan op hem. Uit de kist stapt een
gedaante in een wijde mantel.

De beet van een vampier

Het is een vampier. Dat kan niet anders. Jacko ligt bedolven onder de zware decorstukken en kan zich niet verroeren. Hij ziet de vampier op zich af komen. In het zwakke licht glimt het gezicht zo wit, dat het lijkt of de vampier zich met crème heeft ingesmeerd. Jacko's moeder doet dat spul wel eens op haar gezicht en ze ziet er dan erg eng uit.

De vampier pakt de punten van zijn mantel beet en flappert ermee, alsof hij wil wegvliegen. In plaats daarvan barst hij plotseling in lachen uit. Jacko herkent hem aan zijn lach en meteen voelt hij zich volslagen belachelijk. Het bloed stijgt naar zijn gezicht.

'Schrok je, Jacko?' giert de vampier.

Het is Tjaard Viguur, de hoofdrolspeler.

Hoe kan ik zo stom zijn, denkt Jacko woedend. Me zo voor schut laten zetten door Tjaard, die het aan iedereen zal vertellen.

Het komt natuurlijk door die verhalen van Edje. Onbewust heeft Jacko zich laten meeslepen door Edjes nachtmerries en daardoor is hij in Tjaards flauwe grap getrapt. De nepvampier hikt nog steeds van het lachen. Ondertussen stroopt hij de rubberen klauw van zijn hand af.

'Dit heb ik nou altijd al een keer willen doen,' grinnikt hij. 'Als een echte vampier uit een doodskist stappen en iemand de schrik op het lijf jagen. Je hebt je toch geen pijn gedaan, hoop ik?' Hij trekt de decorstukken een voor een van Jacko af en helpt hem overeind.

Jacko zegt niks. Hij schaamt zich dood.

Tjaard geeft hem een klap op zijn schouder. 'Het was maar een geintje, hoor Jacko. Ik wilde eens zien of ik als vampier een beetje geloofwaardig overkom.'

'Dat is dan aardig gelukt,' mompelt Jacko en hij klopt zaagsel van zijn jas af.

Stoer zegt hij: 'Waarom staat die kist niet op het toneel? Jullie zijn toch aan het repeteren?'

'We repeteren zonder kist,' zegt Tjaard. 'Dat ding is veel te zwaar om telkens heen en weer te sjouwen. Vrijdag zetten we hem pas op het podium. Het is een echte. Lobit heeft hem ergens op de kop getikt. Maffe ervaring hoor, om in een doodskist te liggen.'

'Dat zal best,' zegt Jacko.

Er klinken voetstappen in de gang.

'Tjaard, waar ben je?' Het is de stem van meneer Lobit, hij klinkt kwaad.

'O, o,' zegt Tjaard en snel loopt hij het magazijn uit.

Jacko gaat terug naar de zaal.

''t Spijt me, meneer,' hoort hij Tjaard zeggen. 'Ik zat op het toilet.'

Jacko loopt over een trapje het podium af, naar Edje die in de donkere zaal op de trap zit.

'Ik ga naar huis, ik heb genoeg van vampiers,' zegt Jacko.

'Hoezo? Is er iets gebeurd?' Edje gaapt.

Jacko kijkt naar Edjes gave gebit. Vooral zijn hoektanden zien er opvallend scherp uit en ze glimmen wit in het podiumlicht. Met twee vingers trekt Edje de col van zijn trui omlaag en krabt aan zijn hals.

Jacko knippert met zijn ogen en staart in Edjes col. Daar zitten twee rode plekjes, minuscule gaatjes lijken het, met een rood cirkeltje eromheen. Alsof Edje door iets gebeten is. Een griezelige gedachte komt in Jacko op: in verhalen bijten vampiers hun slachtoffers altijd in de halsslagader.

Edje doet de col weer omhoog.

'Is er iets, Jacko?' Hij kijkt Jacko vragend aan. Over zijn ogen ligt een rood waas.

Jacko schudt zijn hoofd. 'Nee, niks. Ik ben gewoon moe. Ik wil naar huis. Zie je morgen.'

Dan loopt hij zo hard hij kan de zaal en de schouwburg uit. Op straat zuigt hij gulzig de frisse lucht in, waardoor zijn hoofd weer helder wordt.

Ik moet me vergist hebben, denkt hij. Het komt allemaal door dat toneelstuk en door Edjes nachtmerries en door die rotstreek van Tjaard.

Maar de hele weg naar huis denkt hij aan Edjes keel met die twee rode plekjes, en aan zijn hoektanden die zo scherp leken.

Wie door een vampier gebeten wordt, verandert zelf langzaam in een vampier, gaat het verhaal. Vroeger gebeurden zulke dingen, weet hij van opa. In de Karpaten, in Roemenië… maar toch niet hier, in Nederland, dat kan toch niet? Een vampier kan toch niet zomaar uit een nachtmerrie te voorschijn kruipen en werkelijkheid worden?

Slapeloze nacht

'Wat zie je bleek, jongen,' zegt Jacko's moeder wanneer hij de keuken binnenkomt.

Ze zit aan de ronde tafel onder de schotelvormige hanglamp. Aan de andere kant van de tafel zit Jacko's opa in zijn versleten kamerjas. Ze wonen met z'n drietjes in een rijtjeshuis. Jacko's vader is twee jaar geleden omgekomen op het booreiland waar hij werkte als lasser. Tijdens een storm is hij eenvoudig de zee in gewaaid en nooit meer teruggevonden.

Opa schuift een stoel voor Jacko naar achteren.

'Ga zitten, jongen,' zegt hij vriendelijk. 'Zo te zien heb je een zware dag achter de rug.'

Zijn glimlach laat een mond vol roze tandvlees zien. Hij heeft nooit zijn gebit in, waardoor hij een beetje op een vrolijke pad lijkt als hij lacht. Opa is al erg oud. Zijn gezicht zit vol rimpels en levervlekken, net als zijn handen. Zelf beweert hij altijd dat hij vijfentachtig is, maar volgens Jacko's moeder zei hij dat tien jaar geleden ook al.

'Op mijn leeftijd maakt het aantal jaren dat je telt niet meer uit,' zegt opa altijd. 'Het gaat erom dat je leeft.'

Opa slaapt veel. Overdag is hij altijd op zijn slaapkamer. Tegen de avond komt hij in zijn versleten kamerjas naar beneden om wat te kletsen.

Ondanks opa's hoge leeftijd houdt hij er een bijzondere hobby op na: hij is bij een handboogclub voor bejaarden. De o v d heet die club. Jacko heeft geen idee wat dat betekent.

'Oud, Vrolijk en Dol,' beweert opa als Jacko het hem vraagt. Eenmaal in de week gaat opa 's avonds met zijn boog op pad. Jacko moet altijd een beetje gniffelen als hij zich voorstelt hoe een stelletje bejaarden met tril-

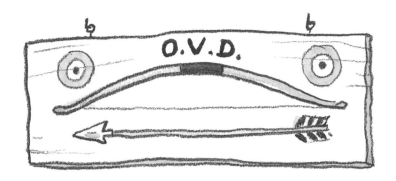

lende handen probeert een schietschijf te raken. Als ze elkaar maar niet per ongeluk doodschieten!

'Er zitten leuke dames op onze club, hoor,' fluistert opa soms. 'Ze zijn wel een beetje belegen, maar op mijn leeftijd moet je daar geen punt meer van maken, Jacko. Er zijn nog heel wat dametjes die mij erg charmant vinden. Maar laat je moeder dat niet horen.'

Jacko moet altijd om opa lachen. Hij is dol op hem.

Moeder schenkt een kop thee in voor Jacko.

'Wat is er met jou, Jacko? Je ziet eruit alsof je ergens vreselijk van geschrokken bent.'

Jacko heeft geen zin om over zijn flater in de schouwburg te vertellen.

'Er is iets aan de hand met Edje,' zegt hij, terwijl hij de warme theekop met beide handen oppakt.

'Hij heeft rare nachtmerries over een vampier die hem telkens bezoekt. Zoals Edje eruitziet, zou je haast geloven dat het geen droom is. En toen we weggingen uit school werden we aangevallen door een dolle hond.'

Nu hij eraan terugdenkt, rilt hij.

'Gelukkig heeft hij ons niet gebeten, anders zat ik hier nu misschien te schuimbekken van de hondsdolheid.'

'Geen wonder dat je zo bleek ziet,' zegt moeder. 'Arme jongen. Gelukkig is het goed afgelopen.'

'Maar ik maak me zorgen over Edje,' zegt Jacko. 'Stel dat er echt een vampier achter hem aan zit.'

'Nou moet je ophouden, Jacko, er bestaan geen vampiers, dat weet je net zo goed als ik.'

Jacko's moeder is een echte Hollandse, heel nuchter en realistisch. Ze heeft geen Roemeens bloed in haar aderen, zoals opa en Jacko en zijn vader. Vaak wordt ze heel kwaad als opa een bloederig vampierverhaal vertelt. Ook nu werpt ze een boze blik naar haar schoonvader.

'Zie je wel, pa. Dat komt nu van die stomme verhalen. Die jongen gaat nog geloven dat vampiers echt bestaan.'

Opa kucht en werkt zich moeizaam overeind.

'Ik geloof dat het tijd is om mijn nette kostuum aan te trekken en mijn boog te pakken. De dames van de handboogclub zitten vast al smachtend op me te wachten.'

Hij knipoogt naar Jacko en maakt zich schuifelend uit de voeten.

'Ga jij nu maar slapen, Jacko,' zegt moeder. 'Ik wil niet dat je gezondheid ook nog gaat lijden onder die rare gedachten.'

'Ja, ma.' Jacko geeft haar een nachtzoen en gaat de trap op, naar zijn slaapkamer.

Met zijn armen onder zijn hoofd gevouwen, ligt Jacko op zijn bed. Hij staart door een kiertje tussen de gordijnen. Het is volle maan. De prehistorische dieren van zijn verzameling werpen monsterachtige schaduwen op de muur. Zachtjes fluistert Jacko hun namen. Dat doet hij altijd als hij moeilijk in slaap kan komen. De namen klinken als magische formules: 'Monoclonius, brachiosaurus, triceratops, pterodactylus.'

Jacko heeft de bouwpakketten allemaal zelf in elkaar gezet en beschilderd. Van sommige soorten heeft hij alleen skeletten. Hij zou graag een diplodocus aan zijn verzameling toevoegen, maar de bouwdozen met prehistorische dieren zijn niet goedkoop.

Misschien krijg ik hem voor mijn verjaardag, denkt Jacko en opnieuw somt hij het rijtje namen op.

Vanavond werken de toverformules niet zo best. Jacko woelt onrustig in zijn bed, terwijl Edjes bleke gezicht, de blikkerende tanden van de wolfshond en de schaterende lach van Tjaard Viguur door zijn hoofd flitsen.

'Jacko. Jacko.'

Zacht geklop op het raam. Jacko opent zijn ogen. Blijkbaar was hij toch in slaap gevallen. Opnieuw is daar de stem die hem roept.

Met zijn hoofd nog vol slaap glipt hij uit bed. In de kamer hangt een vreemde zilveren gloed. Het licht van de volle maan straalt dwars door de gordijnen heen. Aan het plafond wiegt het plastic skelet van een pterodactylus aan een onzichtbaar draadje heen en weer. De ogen van alle prehistorische monsters lijken op Jacko gericht.

'Jacko. Jacko.'

De stem heeft een ijle, galmende klank. Weer wordt er op het raam geklopt.

'Ja, ja, ik kom al,' mompelt hij slaapdronken. 'Welke idioot haalt me nu midden in de nacht uit mijn bed?'

Eindelijk is hij bij het raam. Hij schuift de gordijnen open en wordt haast verblind door het felle licht van de maan. Hij knijpt zijn ogen dicht. Als hij ze weer opent, ziet hij in het maanlicht een gestalte voor het raam.

Rood haar vlamt als vuur om haar hoofd.

'Jacko, laat me erin.'

Sara? Hoe raakt zij midden in de nacht op mijn balkon verzeild? denkt Jacko slaperig.

Sara drukt haar gezicht tegen de ruit. Haar ogen kijken hem smekend aan. Wat ziet ze wit, denkt Jacko. En wat zijn haar ogen rood. Zou ze gehuild hebben?

'Laat me erin, Jacko,' zegt Sara opnieuw. Ze legt haar lange, witte vingers tegen het glas.

Arme Sara. Er is vast iets vreselijks gebeurd.

Maar hoe komt Sara op het balkon terecht, herhaalt een stemmetje in Jacko's hoofd. Hij luistert er niet naar.

Hij ontgrendelt het raam en duwt het open. Sara duikt naar binnen en slaat haar armen om zijn nek. Opeens voelt hij zich vreselijk verlegen. Voorzichtig probeert hij Sara's armen van zijn nek los te maken. Dat lukt niet. Sara's greep wordt steeds knellender. Haar armen voelen aan als stalen kabels.

'Hé Sara, laat me los. Je wurgt me bijna.'

Sara geeft geen antwoord. Ze maakt een sissend geluid en de greep om zijn nek maakt dat hij bijna stikt.

Jacko grijpt Sara's handen beet en probeert ze los te trekken. Verbijsterd ziet hij dat haar handen knokig en wit zijn. Haar nagels zijn wel tien centimeter lang. Kippenvel kruipt over heel zijn lichaam.

'Sara, wat…'

Sara heft haar gezicht op tot vlak voor dat van Jacko. Hij kijkt recht in haar glimmende rode ogen, die geen pupillen hebben. Ze opent haar rode mond en toont haar afschuwelijk lange en scherpe tanden.

'Hoi, Jacko.' Sara sist even. 'Je vindt mij toch zo aardig, niet? Hier ben ik dan.'

Jacko wordt misselijk van angst.

Boven Sara's schouder hangt de maan als een boos

wit oog in de nachtlucht. Sara blaast als een kat en zet haar tanden in Jacko's keel. Het skelet van de pterodactylus danst met rammelende botjes aan zijn draadje en stoot een spottend gekrijs uit.

'Jacko. Jacko!'

Handen schudden hem heen en weer.

'Nee Sara,' kreunt hij.

'Wat is er, Jacko? Word wakker.' Opnieuw die handen die hem heen en weer schudden.

Hij opent zijn ogen. Zijn gezicht is nat van zweet. Nog steeds schijnt het verblindende licht in zijn gezicht.

De maan. Nee, toch niet. Het is de lamp aan het plafond waar hij recht in kijkt. Er staat iemand over hem heen gebogen. Zijn moeder. Ze houdt zijn schouders vast en schudt hem voorzichtig heen en weer.

Langzaam komt Jacko bij zijn positieven. Het was een droom, een nachtmerrie met Sara in de hoofdrol. Sara is niet hier in de kamer. Ze is geen vampier. Hij heeft niet eens een balkon.

Een snik van opluchting ontsnapt uit zijn keel. Soms kan een droom afschuwelijk echt lijken. Jacko kan de scherpe tanden van Sara nog haast in zijn nek voelen. Zijn handen glijden over zijn keel. Hij voelt iets vochtigs en kijkt geschrokken naar zijn vingers.

Gelukkig. Geen bloed. Alleen maar zweet.

Zijn pyjamajas is kletsnat en uit zijn haar druppelt zweet naar zijn nek.

'Alles in orde, Jacko?' Moeder kijkt hem bezorgd aan. Ze legt haar hand op zijn voorhoofd. 'Tjonge, je gloeit nog helemaal. Dat moet me een droom geweest zijn, zeg. Ik was op de gang en hoorde je kreunen.'

'Het is alweer voorbij, ma. Niks aan de hand.'

Peinzend kijkt ze Jacko aan. 'Ik moet je nog iets vertellen. Eigenlijk wilde ik dat morgen doen, maar je bent nu toch wakker. Het gaat over Edje.'

Jacko veert overeind in zijn bed. 'Wat is er met Edje?'

'Zijn vader heeft me vanavond opgebeld. Edje is opgenomen in het ziekenhuis.'

'Wat? Maar hoezo? Waarom?'

'Dat is nog niet helemaal duidelijk,' zegt moeder. 'Vanavond toen hij thuiskwam viel hij flauw. De huisarts werd erbij gehaald. Hij vond dat Edje onmiddellijk voor onderzoek naar het ziekenhuis moest. Voorlopig moet hij een paar dagen blijven en krijgt hij staalpillen.'

'Staalpillen? Waarvoor zijn die?'

'Tegen bloedarmoede,' zegt moeder.

Het ding voor het raam

De volgende morgen zit Jacko in de klas met een hoofd dat aanvoelt als een blok beton. De rest van de nacht heeft hij nauwelijks geslapen.

De vreselijkste gedachten tolden door zijn hoofd. Bloedarmoede. Dat is het bewijs dat Edje door een vampier bezocht wordt. Vampiers drinken mensenbloed. Daar leven ze van.

Maar wie zou Jacko geloven? Er zijn duizenden mensen met bloedarmoede en dat zijn heus niet allemaal slachtoffers van een vampier.

Misschien maakt hij zich ongerust om niets. Misschien is het allemaal toeval en is er niks met Edje aan de hand.

Misschien ben ik gek aan het worden, denkt Jacko.

In de klas wordt zijn humeur er niet beter op. Tjaard heeft iedereen vol trots verteld over de streek die hij met Jacko heeft uitgehaald. Het gevolg is dat iedereen gekke bekken tegen hem zit te trekken. Sommigen grijnzen naar hem met een plastic vampiergebitje in hun mond. Erg leuk is dat. Jacko is blij als de laatste zoemer gaat.

Op het plein tikt iemand op zijn schouder. Het is Sara. Met de nachtmerrie nog in zijn achterhoofd, schrikt Jacko als ze plotseling naast hem staat.

'Nou,' zegt Sara, 'je doet alsof ik een spook ben.'

Ze ziet er fris en gezond uit. Haar rode haar is glanzend geborsteld. Ze heeft blosjes op haar wangen en haar tanden zijn klein en recht. Haar ogen zijn stralend blauw. Ze lijkt in de verste verte niet op een vampier.

Jacko zucht van opluchting.

'Wat doe jij toch vreemd vandaag, Jacko,' zegt Sara. 'Eerst kijk je me aan of ik een spook ben en dan kijk je zo blij als een aap die een banaan krijgt.'

33

Jacko zoekt naar de een of andere verontschuldiging, maar Sara geeft hem geen kans.

'Ik wilde je iets vragen, Jacko. Jij bent toch goed in Nederlands? Zou je me morgenavond misschien met een opstel kunnen helpen?'

Jacko wordt opeens wakker geschud. Dit is andere koek. Sara nodigt hem uit bij haar thuis. Tjonge. Op slag is hij alle gedachten over vampiers vergeten.

'Na-natuurlijk,' zegt hij en hij wordt zo rood als een tomaat. 'Hoe laat wil je dat ik kom?'

Sara zegt gelukkig niets over zijn rode kop. 'Ik moet eerst naar de turnclub. Om een uur of zes ben ik weer thuis. Kom maar om zeven uur, dan hebben we alle tijd om aan het opstel te werken, want mijn vader komt meestal pas om negen uur thuis. Hij moet veel overwerken de laatste tijd.'

Toevallig weet Jacko dat Sara's ouders gescheiden zijn en dat zij alleen met haar vader woont. Dat betekent dat ze dus de halve avond met z'n tweetjes zijn.

'Afgesproken?' zegt Sara.

'Uh, ja. Tuurlijk. Ik zal er zijn.'

Met een zweverig gevoel loopt Jacko naar de poort. De lucht is grijs en het is al bijna donker maar hij voelt zich licht en zonnig. Zijn moeheid is over. Sara heeft zijn rotdag in één klap goedgemaakt.

Bij de poort staat de nachtwaker. Gelukkig heeft hij zijn hond niet bij zich. Hij leunt tegen de stenen pilaar waar het hek aan bevestigd is en kijkt voor zich uit.

Jacko heeft meteen in de gaten dat de nachtwaker alle leerlingen bekijkt die het plein af lopen. Het is net of de man hen bespioneert.

Jacko heeft geen zin zijn goede humeur door die vreemde kerel te laten bederven. Zonder hem een blik waardig te keuren, loopt hij langs hem. Maar net voordat hij de poort uit is, legt de nachtwaker een hand op zijn schouder. Aan zijn pink glinstert de vleermuisring.

Boos draait Jacko zich om. Hij kijkt recht in de zwarte brillenglazen.

'Waar is je vriend?' zegt de nachtwaker.

Wat gaat jou dat aan, denkt Jacko.

'Edje ligt in het ziekenhuis. Misschien wel doordat die rothond van u ons aanviel.'

Zo, dat heeft hij gezegd. Nu kan de nachtwaker zich lekker schuldig voelen.

Voordat de man nog iets kan zeggen, rukt Jacko zich los en holt weg.

'Morgenavond moet ik een meisje van school helpen met een opstel, ma.'

'Is het een leuk meisje?'

Moeder heeft een grote pan erwtensoep gemaakt en die staat midden op tafel. Tegenover Jacko zit opa in zijn kamerjas zijn soep luidruchtig op te slurpen.

'Wat maakt dat nou uit,' zegt Jacko. Hij voelt dat moeder zit te vissen.

'Ze denkt dat ik een ster ben in Nederlands en daarom heeft ze mijn hulp gevraagd.'

Opa giechelt en knipoogt naar Jacko.

'O, nou prima,' zegt moeder en ze vraagt niet verder door. 'Ik ben er morgenavond niet, want ik moet naar een cursus. Maar opa is er wel. Kom niet te laat thuis.'

'Nee ma.'

'Trouwens, moet jij Edje niet opzoeken in het ziekenhuis?'

Jacko slaat met zijn hand tegen zijn voorhoofd. Hij is Edje helemaal vergeten. Zijn hoofd zit zo vol met gedachten over Sara, dat Edje er helemaal uit verdwenen is.

Jacko lepelt snel zijn soep naar binnen en springt op. 'Dan ga ik nu maar. Tot straks.'

Het waait en er valt wat natte sneeuw, als Jacko op zijn fiets stapt. Hij doet er twintig minuten over om bij het ziekenhuis te komen. Als hij zijn fiets gestald en op slot gezet heeft, is het al acht uur. Als ze hem nog maar bij Edje laten.

Het ziekenhuis telt vier verdiepingen. Uit bijna alle ramen straalt wit tl-licht de nacht in. Uit de grote glazen deuren stromen bezoekers naar buiten.

Jacko gaat direct naar de balie, waarachter een grote zwarte portier zit, met schouders als een kleerkast. Voor hem staan een computer en diverse beeldschermen.

'Kunt u me zeggen op welke kamer Edje Post ligt?'

'Het is acht uur,' bromt de portier. 'Het bezoekuur is afgelopen.'

Jacko laat zich niet zo gauw uit het veld slaan. Onderweg heeft hij al een smoes verzonnen voor het geval hij te laat zou komen.

'Edje zit bij mij in de klas,' zegt hij. 'Ik moet hem zijn huiswerk brengen.'

De portier draait een potlood rond tussen zijn tanden.

'Nou, vooruit, ik geloof dat je dan nog wel even naar hem toe kunt.'

Gelukkig vraagt hij niet of hij het huiswerk mag zien. Op een van de monitors zoekt hij Edjes naam op.

'Post, Post, ah, hier heb ik hem. Is gisteravond binnengekomen. Vierde verdieping, kamer 425.'

'Dank u,' roept Jacko en holt de receptiehal uit, door de draaideur naar de liften. Een van de twee deuren gaat open en er komen twee vertrekkende bezoekers uit.

Jacko stapt in de lift, drukt op de knop en gaat langzaam omhoog. Met een zachte schok stopt de lift op de vierde verdieping. Jacko komt in een lange grijze gang. Een bordje met een pijl geeft aan waar de kamers 401 tot en met 425 zijn. Edjes kamer is helemaal aan het eind van de gang.

Jacko klopt aan. Geen antwoord, misschien slaapt Edje al. Voorzichtig duwt hij de deur open. De kamer wordt alleen verlicht door een bedlampje. Er staat maar één bed, vlak voor het raam, en daarin ligt Edje met zijn ogen dicht.

Arme Edje, zijn optreden in het toneelstuk kan hij wel vergeten, denkt Jacko. Zachtjes loopt hij naar het bed.

Edje beweegt niet. Het lijkt zelfs of hij nauwelijks ademhaalt. Hij ligt tot aan zijn kin onder de dekens. Zoals hij daar ligt weggezonken in het grote ziekenhuiskussen, ziet hij er nog bleker en nietiger uit dan hij al was. Binnen een dag lijkt hij verschrompeld tot een oud mannetje.

Jacko schrikt ervan. Edjes gezicht is mager en ingevallen en de huid spant strak over zijn jukbeenderen.

Zijn lippen zijn wat teruggetrokken. Opnieuw valt het Jacko op dat zijn tanden er lang en spits uitzien.

Hij begint er echt als een vampier uit te zien, denkt Jacko en hij krijgt een koud, akelig gevoel.

Opeens waait er een windvlaag door de kamer. Het raam staat op een kier.

Hoe kan dat nu? denkt Jacko. In het ziekenhuis laten ze 's avonds toch geen ramen open staan? Zeker niet als het zo waait.

Hij loopt snel om het bed heen om het raam te sluiten. Van buiten komen de eenzame gak-gakgeluiden van eenden die in de gracht achter het ziekenhuis zwemmen. Als hij het raam dicht trekt, beweegt er buiten iets donkers op de hoek van de vensterbank. Jacko schrikt en deinst terug.

Achter hem kraakt het bed. Hij draait zich om.

Edje zit rechtop. Zijn ogen zijn wijd opengesperd, rood omrand en ze staren langs Jacko heen naar buiten. In zijn blik ligt doodsangst.

Snel draait Jacko zich om. Buiten vliegt een donkere vorm langs het raam. Er klinkt geklapper van vleugels. Jacko drukt zijn gezicht tegen de ruit. Hij ziet een schaduw die met uitgespreide vlerken opstijgt.

Opeens slaakt Edje een kreet. Zijn oogleden sluiten zich en slap als een pop valt hij achterover.

Geschrokken buigt Jacko zich over zijn vriend.

'Edje, wat is er? Ik ben het, Jacko.'

Edje beweegt niet. Het lijkt wel of hij dood is.

Het angstzweet breekt Jacko uit. Hij pakt Edje bij de schouders en schudt hem door elkaar.

Edjes hoofd rolt van links naar rechts over het kussen, maar zijn ogen blijven gesloten en hij geeft geen kik. Op zijn keel zitten de twee rode plekjes. Klein zijn ze, met in het midden een gaatje, alsof hij daar met twee

naalden geprikt is. Er zit een beetje bloed op de kraag van zijn pyjamajasje.

'Edje, word wakker,' roept Jacko. 'Edje!'

De deur van de kamer vliegt open. Een kolossale verpleegster in een te krap wit uniform komt binnen.

'Wat gebeurt hier? Wat is dat voor geschreeuw?'

Jacko houdt Edje nog steeds bij zijn schouders vast. Hij voelt de tranen in zijn ogen branden.

'Edje gaat dood. Of misschien is hij al dood.'

De verpleegster is met twee stappen bij het bed. Ze pakt Edjes pols en voelt eraan. Ondertussen kijkt ze op een kaart die op Edjes nachtkastje ligt en dan drukt ze op een rode knop boven het bed. Even later klinken er voetstappen in de gang en twee verplegers stormen naar binnen.

'Snel, een infuus,' zegt de verpleegster, terwijl ze een van de verplegers de kaart in de hand drukt.

'En ik heb een zak bloed nodig. De gegevens van zijn bloedgroep staan op de kaart.'

Voorzichtig legt ze Edje recht.

Jacko's benen voelen aan als kauwgom. Hij zakt op een stoel naast het bed.

De twee verplegers hollen weg en komen even later terug met een verchroomde hoge standaard op wieltjes. Een van de twee hangt er een plastic zak aan, gevuld met bloed.

De verpleegster prikt een naald waaraan een doorzichtig slangetje zit in een ader in Edjes arm. Het duurt even voordat ze een geschikte ader gevonden heeft. Ze prikt drie keer mis. Alles gebeurt in ijltempo. Niemand let op Jacko.

Helemaal versuft zit Jacko toe te kijken. Het bloed uit de plastic zak druppelt in het slangetje, waarna het via een buisje in Edjes arm verdwijnt.

'Zo,' zegt de verpleegster, als de verplegers weg zijn. 'Meer kunnen we op het moment niet doen. We zijn nog net op tijd. Die arme jongen ligt erbij als een lijk.' Ze legt haar dikke arm even om Jacko's schouder.

'Je hoeft niet bang te zijn, hoor. Hij komt er wel bovenop. Een geluk dat jij hier nog was, anders hadden we misschien te laat gemerkt dat hij er zo ernstig aan toe is.' Peinzend kijkt ze naar Edje.

'Vreemd, hoor. Zo'n acute bloedarmoede heb ik nog nooit meegemaakt.'

Opeens kan Jacko het niet meer voor zich houden. 'Het was een vampier,' roept hij. 'Edje wordt leeggezogen door een vampier. Ik zag iets wegvliegen voor het raam. Een vleermuis leek het. Vampiers kunnen zich in vleermuizen veranderen als ze willen. Ze zuigen het bloed van hun slachtoffers uit. Net zo lang tot ze dood zijn en ook vampiers worden.'

Jacko springt op van de stoel en staart de verpleegster verhit aan.

'Je bent van streek, jongen, dat is begrijpelijk, maar het komt allemaal wel in orde. Dit is een modern ziekenhuis. Vampiers hebben hier geen kans.' Ze knipoogt. 'En zal ik je eens een geheim vertellen? Vampiers bestaan niet. Vleermuizen wel. Die zitten hier wel vaker onder de dakrand.'

'Maar niet in de winter,' zegt Jacko hard. Hij is woedend omdat ze doet alsof hij een kleuter is.

'Deze vleermuis was bovendien zo groot als een meeuw.'

'Waarschijnlijk was het dan ook een meeuw,' antwoordt ze. 'Het barst hier van de meeuwen. Rotbeesten zijn het. Herrieschoppers.'

'Kijk dan naar zijn keel.' Jacko schreeuwt het uit. 'Er zitten gaatjes waar de vampier hem gebeten heeft.'

De verpleegster fronst en buigt zich over Edjes keel. Ze wrijft met haar duim en wijsvinger over haar kin.

'Ik zie het. Dus daarom denk jij dat er een vampier in het spel is. Zo te zien zijn het scheerwondjes. Of anders misschien twee puistjes die hij kapot gekrabd heeft. Het kan door van alles komen, maar een vampier vind ik wel een beetje vergezocht.'

Het heeft geen zin, ziet Jacko. Ze is net zo eigenwijs als zijn moeder. Volwassenen willen nooit toegeven, zelfs al kom je met keiharde bewijzen voor de dag.

Scheerwondjes! Edje is dertien jaar maar er groeit nog niet het kleinste haartje op zijn gezicht. Waarschijnlijk heeft hij nog nooit een scheermes aangeraakt.

Van woede kan Jacko de verpleegster wel tegen haar enkels schoppen, maar hij houdt zich in. Hij kijkt nog één keer naar Edje. Bleek en bewusteloos ligt hij daar met een slang vol bloed aan zijn arm. Het is een afschuwelijk gezicht. Snel verlaat Jacko de kamer.

Niemand gelooft me. Ben ik dan de enige die begrijpt wat er aan de hand is? denkt hij, terwijl hij terug naar huis fietst. Of ben ik echt gek aan het worden?

'Hoe gaat het met Edje?' vraagt Jacko's moeder.

'Niet zo best, hij ging bijna dood toen ik er was.'

'Wat?' Moeder kijkt hem geschrokken aan.

Bijna vertelt Jacko haar over de vampier, maar hij weet dat het geen zin heeft. Ze zal hem niet geloven, net zo min als de verpleegster.

'Hij ligt nou aan een infuus. De verpleegster zegt dat het wel goed komt met hem.'

'Gelukkig,' zucht moeder. 'Trouwens, voor ik het vergeet, wat wil je eigenlijk voor je verjaardag hebben?'

'Eh, 't liefst een diplodocus voor mijn verzameling. Maar hij is nogal duur.'

'Nou, we zullen wel zien,' zegt moeder. 'Ik weet niet eens of ik die naam kan onthouden.'

'Denk maar aan Jodokus, ma. Daar lijkt het op.'

Jacko hangt zijn jas aan de kapstok en loopt de trap op. Op de overloop stapt opa juist uit de badkamer. In zijn hand heeft hij een glas water waar zijn gebit in ligt. Al draagt opa zijn gebit nooit, hij zorgt er wel goed voor en doet elke dag vers water in het glas, alsof het gebit een zeldzaam huisdier is.

Jacko blijft staan. Misschien gelooft opa hem. Hij kent immers veel vampierverhalen en hij zegt altijd dat ze echt gebeurd zijn.

'Opa, bestaan er nog steeds vampiers? Is het mogelijk dat hier in de stad een vampier leeft?'

Opa kijkt hem aan. Zoals altijd glinsteren zijn kleine oogjes ondeugend, alsof het leven een grote, geheimzinnige grap is.

'Als ik ja zeg, krijg ik gegarandeerd ruzie met je moeder,' zegt hij. 'Dus ik zeg maar niks.'

Met die mysterieuze woorden verdwijnt hij in zijn kamer en laat Jacko achter op de gang.

Wat betekent dat nou weer? denkt Jacko geïrriteerd. Bedoelt hij nou ja of nee? Hij zucht en gaat naar zijn kamer, waar hij op zijn bed neervalt. Aan opa heeft hij ook al niks. Hij staat er helemaal alleen voor.

Of wacht eens: heeft hij niet een boek waar iets in staat over vampiers?

VAMPIER

Ondode. Volgens het bijgeloof van Slavische volken in Zuid-Europa een wezen dat 's nachts zijn graf verlaat om de mensen het bloed uit te zuigen. Kan geen zonlicht verdragen. Knoflook, kruisbeelden en wijwater zijn middelen om hem af te weren. Hij kan alleen gedood worden met een houten staak, die dwars door zijn hart geslagen dient te worden.

Met een zucht legt Jacko het *Griezelhandboek* weg. Als je dit leest, is het klinkklare onzin, denkt hij, terwijl hij het licht uitdoet.

Hij slaapt die nacht niet goed. Steeds ziet hij Edje voor zich, gekluisterd aan een bed, met een slang vol bloed in zijn arm. Hij stelt zich voor dat hij een houten staak door Edjes hart moet slaan, omdat zijn vriend een vampier is.

De ontdekking

De volgende morgen is Jacko weer een wrak. Tijdens de natuurkundeles sukkelt hij telkens in slaap en wordt geplaagd door vreemde visioenen.

Meneer Terbraak, de biologieleraar, staat voor de klas en houdt een hamster in zijn handen.

'Een hamster is een knaagdier, zoals jullie weten,' zegt hij. 'Een kenmerk van knaagdieren is dat zij twee paar beitelvormige snijtanden hebben, die steeds weer aangroeien.' Hij houdt de hamster met twee handen in de lucht.

'Een ander kenmerk van knaagdieren is, dat je er heerlijk op kunt knagen.'

Tot Jacko's verbijstering opent de leraar zijn mond en zet zijn tanden in de nek van de hamster. Het diertje piept maar Terbraak glimlacht met een mond vol hamsterhaar.

Jacko kijkt om zich heen. Iedereen in de klas schijnt het normaal te vinden want ze kijken allemaal geïnteresseerd toe.

Jacko moet kokhalzen en springt overeind, waarbij zijn tafeltje omvalt.

Opeens wordt het doodstil in de klas. Alle leerlingen draaien zich langzaam om. Nu pas ziet hij hoe bleek hun gezichten zijn, hoe lang hun tanden. Ze zijn allemaal vampiers geworden. Te midden van al die grijnzende gezichten zit Edje en hij zwaait vrolijk naar Jacko.

Jacko gilt.

'Jacko, ben jij helemaal gek om zo te krijsen,' zegt Terbraak.

Jacko slaat zijn ogen open en is terug in de werkelijkheid. Terbraak staat voor het bord met een krijtje in zijn hand. De rest van de klas zit driftig te pennen.

Ik word gek, denkt Jacko. Ik zie overal vampiers.

'Sorry, meneer, er lag een punaise op mijn stoel.' Smoesjes verzinnen kan hij als de beste. Alleen met vampiers weet hij geen raad.

Terbraak bromt wat en gaat verder met de les. Tjaard Viguur buigt zich naar Jacko en fluistert: 'Nog vampiers gezien de laatste tijd, Jacko?' Achter Jacko's rug begint hij te proesten.

Lach maar, denkt Jacko. Er zijn dingen aan de hand, waarvan jij geen flauw idee hebt.

In de pauze bestudeert hij de leerlingen op het schoolplein aandachtig. Het valt hem op dat er verschillende
bij zijn, die er bleek en sloom uitzien. Als slaapwande-
laars. Zo zag Edje er ook uit. Enkele bleekgezichten
knipperen zelfs met hun ogen tegen het zonlicht.

Bovendien mist hij een aantal bekende gezichten. Er
zijn veel leerlingen ziek geworden de laatste dagen.
Behalve Edje ontbreken er vandaag drie leerlingen in
Jacko's klas. Het lijkt wel of er op school een virus
heerst, waardoor steeds meer leerlingen besmet worden.

Een vampiervirus, denkt Jacko. En ik ben de enige die
het in de gaten heeft. Een vampier heeft het op de kinderen van onze school voorzien. Iedereen die gebeten
wordt, verandert op den duur zelf in een vampier. En als
die vampiers anderen gaan bijten, ontstaan er nog meer
vampiers, steeds meer, tot er geen normale leerlingen
meer over zijn. Of verbeeld ik me dat allemaal maar?
Een bleek gezicht is geen bewijs dat iemand een vampier is. Misschien hebben ze gewoon griep.

Hij speurt het plein af naar Sara. Ze is nergens te
bekennen. Waarschijnlijk heeft ze een uur vrij. Zijn
ogen dwalen over het schoolplein en blijven rusten op
de poort. Het is alsof er een elektrische schok door hem
heen gaat, die zijn lichaam tot in de vingertoppen doet
tintelen.

Aan de straatkant van het hek verschijnt een bleek
gezicht dat door de spijlen naar het plein gluurt. Zelfs
op een flinke afstand herkent Jacko hem. Zwarte brillenglazen, zwarte haren, een beetje wit aan de wortels.

De nachtwaker. Wat doet hij daar? Zijn dienst is nog
lang niet begonnen. Waarom begluurt hij hen?

Opeens vallen alle stukjes van de puzzel in elkaar. De
nachtwaker. Hij en zijn grote wolfshond. Het is bekend

dat vampiers macht hebben over dieren. Wolven gehoorzamen hen, dat weet Jacko uit de verhalen van opa. De zwarte wolfshond van de nachtwaker had Edje aangevallen.

De nachtwaker moet de vampier zijn. Dat verklaart ook die eeuwige zonnebril, daardoor kan niemand zijn rode vampierogen zien en zijn ze beschermd tegen het zonlicht. Vampiers kunnen immers geen zonlicht verdragen. Bovendien draagt hij een ring in de vorm van een vleermuis, het symbool van een vampier.

De ontdekking is zo groots dat het Jacko begint te duizelen. Een vampier te midden van achthonderd leerlingen. Hij moet zich als een kind in een snoepwinkel voelen.

Opeens krijgt Jacko het gevoel dat de nachtwaker naar hem kijkt. Gauw draait hij zich om, bang dat de man hem in de gaten heeft.

Nu moet hij voorzichtig handelen. In zijn eentje kan hij niets beginnen tegen een vampier, dat beseft hij wel. Maar wie zal hem geloven? Niemand, waarschijnlijk. Maar toch moet hij hulp vragen.

Er zit maar één ding op. Hij moet zijn afschuwelijke vermoeden tegen de directeur vertellen. Hij is verantwoordelijk voor wat er met de leerlingen op school gebeurt.

Ik niet, denkt Jacko. De directeur moet ervoor zorgen dat dit probleem opgelost wordt, anders barst het hier op school straks van de vampiers.

Als een rat in de val

De laatste zoemer is gegaan. Terwijl de klassen leeg-
stromen, gaat Jacko naar de kamer van de directeur. Via
de hal loopt hij een lange gang in. Aan het einde daarvan is de directeurskamer. Het zal niet meevallen de
directeur te overtuigen.

Aarzelend klopt hij op de deur en wacht. Er komt
geen antwoord. Nog eens klopt Jacko, harder nu. Er
klinkt binnen een geluid, alsof een boek met een zware
klap wordt neergelegd.

'Ja?' zegt een vermoeide stem.

Jacko haalt een keer diep adem en gaat naar binnen.

De kamer van de directeur is een vierkant, bedompt
vertrek. Het ruikt er muf, naar oude boeken. Leerlingen
komen hier alleen als ze de klas uitgestuurd worden.

Jacko kijkt even om zich heen. Het is de eerste keer
dat hij hier komt en de kamer ziet er nogal ouderwets
uit. Voor het raam hangen zwarte fluwelen gordijnen.
In het midden van de kamer staat een enorm eikenhou-
ten bureau, waarop alleen een dik boek ligt, in de lichtkring van een koperen hanglamp.

Achter het bureau zit de directeur zelf. Hij is een
grote, dikke man met een kaal hoofd, een grote zwarte
baard en een zware bril met jampotglazen.

'Waarom stoor je me, jongen? Ik heb het ontzettend
druk, dus je moet wel een goede reden hebben.'

Jacko voelt zich niet erg op zijn gemak.

'Eh, ik heb een probleem, meneer. Of liever gezegd,
de hele school heeft een probleem of kan een probleem
krijgen.' Het is moeilijk de juiste woorden te vinden en
Jacko voelt hoe hij een kleur krijgt.

De directeur trommelt ongeduldig met zijn vingers
op het bureaublad.

Stamelend gooit Jacko zijn verhaal er toch in één keer
uit.

'Edje Post uit mijn klas is doodziek, meneer. Hij ligt
in het ziekenhuis omdat hij erge bloedarmoede heeft.
En hier op school zie ik meer kinderen, die er steeds bleker uitzien. Ik weet hoe dat komt: het is het werk van
een vampier. Ik denk dat iedereen op school in gevaar
is, daarom kom ik bij u. U bent de enige die kan helpen.'

Terwijl Jacko zichzelf zo hoort ratelen, vindt hij dat
het hele verhaal stom klinkt. De directeur zal hem vast
wegsturen.

Maar dat gebeurt niet. De directeur lacht zachtjes.

'Dus jij begint ook al vampiers te zien,' zegt hij.

Jacko leeft op. 'Hoezo, meneer? Zijn er dan nog meer die het weten?'

De directeur knikt. 'Eergisteren werd ik opgebeld door mevrouw Post. Ze maakt zich zorgen. Sinds Edje voor dat toneelstuk is uitgekozen, praat hij over niets anders dan vampiers. Hij droomt er zelfs van. En nu begin jij er ook al over. Het lijkt wel of jullie elkaar aansteken. Als dat zo doorgaat, krijg ik de bond van boze ouders nog op mijn nek.' Hij zucht diep.

'Ik denk dat we volgend jaar maar weer een gewoon kerstverhaaltje opvoeren.' Hij kijkt Jacko indringend aan. 'Heb je hier al met anderen over gesproken?'

'Nee, meneer, niemand weet er iets van.'

'Mooi,' zegt de directeur. 'Want dit soort sensatieverhalen is slecht voor de goede naam van onze school. En daar ben ik niet van gediend, dat begrijp je wel. Het is al lastig genoeg dat er drie leerlingen van ons verdwenen zijn.'

Hij kijkt Jacko beschuldigend aan, alsof hij degene is die het voortbestaan van de school bedreigt.

'Vergeet die rare ideeën nu maar gauw. De enige vampiers die er zijn, staan vrijdag op de planken in de schouwburg.'

'Maar Edje dan, meneer? En al die bleke gezichten op het schoolplein?'

De directeur strijkt over zijn voorhoofd. Jacko ziet dat hij zijn geduld verliest.

'Griep. Er is een griepvirus in aantocht. Ik heb al diverse ziekmeldingen binnengekregen. Zorg maar dat jij niet getroffen wordt, Jacko. Het is aardig dat je zo bezorgd bent om je medeleerlingen maar er is heus niets vreemds aan de hand, anders had ik dat wel gemerkt. Vampiers bestaan niet. Punt uit.'

De directeur klinkt zo overtuigend, dat Jacko hem

haast gelooft. Misschien heeft hij zich toch vergist en is er voor alles een volmaakt logische verklaring.

'Trouwens, nu Edje in het ziekenhuis ligt hebben we voor zijn rol een vervanger nodig. Wil jij geen vampier zijn, aanstaande vrijdag?'

Jacko schudt zijn hoofd. 'Nee, dank u wel. Ik wil best naar vampiers kijken, maar ik wil er liever geen zijn.'

De directeur haalt zijn schouders op.

'Je weet niet wat je mist. Maar je komt toch wel kijken?'

'Ik denkt het niet, meneer. Vrijdag ben ik jarig.'

'Ach,' zegt de directeur en er klinkt iets van teleurstelling door in zijn stem.

Als Jacko de kamer uit loopt, botst hij tegen iemand op die gebogen voor de deur staat. Een lange stok zwaait voor zijn neus heen en weer.

Geschrokken springt Jacko opzij.

'Welja, loop een oude, hardwerkende vrouw maar omver!'

Jacko haalt opgelucht adem. Het is mevrouw Achterhuis die de gang aan het dweilen is. Ze strijkt grijze haarslierten uit haar ogen en glimlacht tegen Jacko. Net als opa heeft ze nooit een gebit in. Ze zouden goed bij elkaar passen, denkt Jacko.

'Wat doe jij hier nog zo laat, jongen,' zegt de oude vrouw. 'Het is al donker. Zorg maar dat je je bus niet mist. Je weet nooit wat je in het donker kunt tegenkomen, tegenwoordig. Al dat tuig dat er rondloopt.' Zachtjes in zichzelf pratend gaat ze verder met haar dweil.

Onderweg in de bus denkt Jacko na over het gesprek met de directeur. Er zit hem iets niet lekker. Het is goed mogelijk dat de halve school griep heeft. Maar dat verklaart nog niet wat er met Edje aan de hand is. Hij heeft nog nooit gehoord dat je van griep acute bloedarmoede krijgt. En die vleermuis voor Edjes raam, dat was heus geen meeuw.

Jacko zucht. Zijn vermoeden over de nachtwaker heeft hij niet eens meer tegen de directeur durven uitspreken.

Het is al lang donker en overal branden de straatlantaarns, wanneer Jacko uit de bus stapt. Het sneeuwt zachtjes en langzaam verandert de straat in een wit, lichtgevend tapijt. Vol verwarde gedachten sjokt hij door een laan met prachtige bomen, die nog niet vanwege de stadsvernieuwing weggehaald zijn.

Halverwege de straat knapt er een tak ergens boven zijn hoofd. Geschrokken kijkt hij omhoog. In een flits ziet hij drie bleke gezichten in de donkere wirwar van takken boven hem.

De takken bewegen en drie gedaanten dalen vanuit de boom neer. Ze landen soepel op de straatstenen, in de schaduw van de bomen, rollen een keer om en komen vliegensvlug overeind. De hakken van hun laarzen klakken op het trottoir.

Zodra ze in het licht van de lantaarn staan, schreeuwt Jacko het uit. Het zijn drie jongens met zonnebrillen, leren jacks en laarzen met hoge hakken. Neerdwarrelende sneeuwvlokken kleven in hun haar.

Jacko kent die jongens maar al te goed. Zij zijn de zonnebrilbende. Al meer dan een maand spoorloos. Misschien wel vermoord, denken sommigen, maar nu staan ze hier in levenden lijve voor Jacko, of liever: in doden lijve. Lange, scherpe tanden blikkeren in de halfgeopende monden. De jongens zijn veranderd in vampiers.

54

De middelste van de drie heeft een hanenkam. Hij zet zijn zonnebril af en kijkt Jacko spottend aan. In het lantaarnlicht glinsteren zijn ogen als rood glas.

'Kijk eens aan, daar hebben we Jacko.'

Zijn adem stinkt naar rottende bladeren en dode aarde. De vampiers komen steeds dichter om Jacko heen staan.

Jacko's kan niks zeggen. Hij voelt een wurgende angst in zijn keel.

'Kijk hem eens beven,' grinnikt de tweede vampier. Hij heeft rood haar.

'Vroeger was hij ook al zo'n schijterd,' gromt de derde met een stem die overslaat. Hij heeft de baard in de keel. Daar zit hij nu mooi voor eeuwig mee opgescheept, denkt Jacko, ondanks zijn angst. Vampiers worden nooit ouder.

De drie loeren begerig naar Jacko's keel.

'Mm, ik heb zin in een beetje bloed,' grinnikt de rode vampier.

'Hou je in!' snauwt de punkvampier. 'Je weet dat wij hem niet mogen aanraken van de baas.'

'Ach, zeur niet. De baas krijgt ze altijd als ze nog vol bloed zitten. En wij moeten het doen met de restjes. Een paar kleine beetjes, daar merkt de baas niks van,' zegt de rode, en hij likt langs zijn tanden.

'Precies, de baas kan het dak op,' roept de derde met overslaande stem. 'Wij hebben hem gevonden, dus hij is voor ons.'

Jacko doet het haast in zijn broek. Waar hebben ze het over? De baas? Ze bedoelen natuurlijk de nachtwaker. Heeft hij het nu op hém voorzien?

Jacko begrijpt er niks van, maar hij krijgt geen tijd om na te denken. Drie monden sperren wijd open. Lange ontblote hoektanden komen op hem af.

Jacko kijkt in paniek om zich heen. Links, rechts, nergens een uitweg. Hij zit als een rat in de val.

Op de vlucht

Van links duikt de punkvampier naar Jacko's keel en van rechts komt de rode. De derde vampier valt hem van voren aan. Op het laatste moment zakt Jacko door zijn knieën, schiet onder de uitgestrekte armen door en holt de straat op. De drie vampiers knallen met hun koppen tegen elkaar. Een ogenblik staren ze elkaar beduusd aan. Vervolgens beginnen ze elkaar te schoppen en uit te schelden.

'Ho! Ophouden! Hij ontsnapt,' roept de punkvampier opeens.

De drie staken meteen hun vechtpartij en zetten de achtervolging in.

Jacko rent zo hard als hij kan. In de verte ziet hij de lichten van een winkelstraat. Daar durven ze hem vast niet aan te vallen.

Hij werpt snel een blik over zijn schouder. De drie komen met grote snelheid achter hem aan. Het lijkt of ze niet lopen maar zweven.

Jacko kijkt weer voor zich. Sneeuw stuift op onder zijn voeten. Zijn armen gaan als zuigers heen en weer. De lichten in de verte komen steeds dichterbij. Maar ook het woedende gesis van zijn achtervolgers klinkt steeds luider.

Jacko kijkt nog eens om. De vampiers zijn hem nu dicht genaderd. Het licht van de lantaarns flitst over hun bleke gezichten. Sneeuwvlokken wervelen om hen heen. Jacko begint behoorlijk moe te worden, maar daar lijken zij geen last van te hebben. Hij kijkt weer voor zich en wordt meteen verblind door de koplampen van een naderende auto, die recht op hem af komt.

Nog net op tijd duikt Jacko opzij. De auto schiet rakelings langs hem heen. In volle vaart ramt hij de punkvampier die op het midden van de weg achter Jacko loopt. De vampier wordt als een lappenpop de lucht in geslingerd, rolt over het dak van de auto en ploft neer in de sneeuw.

Die is er geweest, denkt Jacko, maar de vampier staat eenvoudig weer op en grijnst boosaardig naar hem. De achterlichten van de auto verdwijnen in de nacht. Heeft de bestuurder niks van de aanrijding gemerkt?

Misschien kan hij de vampiers niet eens zien en bestaan ze alleen in mijn geest, denkt Jacko moedeloos. Hij krabbelt overeind en zet het weer op een lopen.

Hij hoort de drie vampiers grinniken. Het klinkt dichtbij. Ze zijn wel degelijk echt, net zo echt als hijzelf. Steeds vermoeider vlucht hij voort, meer vooruit vallend dan rennend. Eindelijk bereikt hij de winkelstraat.

Jacko slaat de hoek om en rent de winkelgalerij in. De straat is versierd met kerstverlichting. Overal staan kerstbomen en in de etalages staan sneeuwpoppen van nepsneeuw. Maar er is geen mens te zien en de winkels zijn al gesloten.

In een grote etalageruit aan de overkant ziet Jacko zijn drie achtervolgers de hoek omkomen, alsof ze alle tijd van de wereld hebben. Dat héb je natuurlijk ook als je dood bent, denkt hij vermoeid. Hij is helemaal op. Elk moment kunnen ze hem nu in zijn nek springen. Hij rammelt aan de deuren van winkels maar niemand doet open.

'Help!' roept hij. 'Is er dan niemand?'

Er is wel iemand. Aan de andere kant van de straat, ongeveer honderd meter verderop, komt hij Jacko tegemoet. Het is een politieagent met een fiets aan de hand. Onder het afdak van een etalage blijft hij staan om een sigaret te roken. Met zijn laatste krachten steekt Jacko de straat over een sleept zich naar hem toe.

Verbaasd kijkt de agent op. 'Wat is er aan de hand, jongen?'

'U moet me helpen,' hijgt Jacko. 'Ik word achtervolgd door drie vampiers.'

De agent kijkt over Jacko's schouder. 'Zo, zo, vampiers. En waar zijn die dan wel?'

Jacko draait zich om. Is de agent soms blind? Hij moet ze toch zien, ze zitten hem op de hielen.

De straat is leeg; nergens bespeurt hij de vampiers. Dan ziet hij drie wezens uit een portiekje komen.

'Daar! Daar komen ze. Kijk dan!' In paniek grijpt hij de agent beet en verbergt zijn gezicht in de politiejas. Fronsend kijkt de agent naar de naderende gedaanten.

'Dus dat zijn vampiers.' Er klinkt boosheid door in zijn stem. 'Die horen dan beslist thuis in een tehuis voor bejaarde vampiers.'

'Wat?' Jacko draait zich om. De drie lopen nu in het volle licht van een etalage. Het zijn bejaarde dames met boodschappentassen.

'Die zien er inderdaad heel bloeddorstig uit.' De agent kijkt hem boos aan. 'Schaam jij je niet? Drie omaatjes met kunstgebitten verdacht maken als vampiers. Mij een beetje lastigvallen met die onzin. Alsof ik niks beters te doen heb.'

'Maar ik…'

'Hou je mond. Maak dat je wegkomt. Je mag blij zijn dat ik je geen bon geef wegens belediging van een ambtenaar in functie. Wil zeker een goede beurt bij je vriendjes maken, hè. Lekker agentje pesten.'

Jacko's armen vallen slap langs zijn lichaam. Het heeft geen zin, ook de politie gelooft niet in vampiers.

'Laat ik jou niet meer tegenkomen,' zegt de agent. Hij stapt op zijn fiets en rijdt weg. Jacko holt hem achterna

60

maar de agent fietst hard en kijkt niet om.

'Psst, Jacko,' fluistert een stem. Een witte hand met vieze lange nagels grijpt Jacko bij zijn kraag en sleurt hem een donkere steeg in.

Sara

De drie vampiers staan dicht om Jacko heen. Hun smerige, dode adem verstikt hem haast. Met scheve, kwijlende koppen kijken ze Jacko aan. Hij voelt hoe het zweet in straaltjes over zijn rug loopt.

'Welkom bij de club, Jacko,' grijnst de punkvampier.

Met een gil trekt Jacko zijn hoofd opzij. De tanden van de vampier flitsen vlak langs zijn hals.

Plotseling klinkt er het hoestende geluid van een claxon door de steeg. Belgerinkel. Getoeter. Lichten flitsen door het duister. Fel wit licht knippert aan en uit, weerkaatst op de sneeuw en verblindt hem. De kaken van de drie vampiers vallen open van verbazing.

Jacko weet een moment niet wat hij ziet. Het lijkt of een ruimtescheepje, omgeven door lichten, de steeg komt binnenzeilen. Hij ziet blinkend chroom, een soort stoel met rondwentelende, vurige wielen. In de stoel, onder een paraplu zit een man. In zijn ene hand heeft hij een lange, scherpe stok en in de andere een enorme lantaarn. De brede straal schijnt op de drie vampiers. Op het stuur zijn flitslampen van een fototoestel bevestigd, die achter elkaar fel oplichten.

Jacko ziet een explosie van zwarte vlekken en strepen. Hij knippert met zijn ogen. Als hij weer normaal kan zien, zijn de vampiers verdwenen. Drie piepende vleermuisjes stijgen op en ontsnappen aan de lichtstraal van de lantaarn.

Schuivend door de sneeuw komt het flitsende voertuig tot stilstand, vlak voor Jacko.

'Verdraaid, ze zijn ontsnapt,' zegt de bestuurder. Hij schakelt de alarmbellen en de knipperlichten uit en in één klap is het doodstil en pikkedonker in de steeg.

Als Jacko's ogen weer aan het duister gewend zijn,

kan hij zijn redder pas goed zien. Het is een oude man, gewikkeld in een deken. Hij draagt een geruite pet, en daaronder is zijn hoofd zo kaal als een biljartbal. Een wit ringbaardje siert zijn kin. Hij doet Jacko aan Paulus de boskabouter denken. Wat leek op een ruimteschip is niets anders dan een rolstoel, versierd met wat toeters en bellen. De spaken zijn behangen met kerstlampjes. Aan de rugleuning hangt een mand vol stokken met scherpe punten.

De bejaarde zonderling kijkt Jacko aan en grijnst met een tandenloze mond: 'Nou ja, pech gehad. Volgende keer beter, wat jij?'

'Wie... wie bent u?'

'Ik ben Valeriaan de vleermuisvanger,' grinnikt het mannetje. 'Bijna had ik er eentje aan mijn stok gespietst voor mijn collectie.'

'Dat waren geen gewone vleermuizen, dat waren vampiers,' zegt Jacko.

De oude man kijkt hem aan met een geheimzinnig lachje. 'Vampiers? Denk je? Ik zag toch heus drie vleermuizen wegvliegen.' Hij snuit zijn neus in de deken die om hem heen geslagen is.

'Wat het ook waren,' zegt hij dan, 'ze zijn weg. Jij kunt nu maar beter naar huis gaan, jongen. Het is niet veilig, zo in je eentje in het donker op straat. Nou, de groeten.' Hij start het motortje van zijn rolstoel. Voor Jacko nog iets kan zeggen, zoeft hij met ploffende geluiden de steeg uit.

Het is weer stil en donker. Verdwaasd leunt Jacko tegen de muur. Om hem heen valt de sneeuw in dikke, witte vlokken. Het ziet eruit alsof er deze avond niets bijzonders is gebeurd.

Ik moet dit tegen iemand vertellen, denkt Jacko. Anders denk ik dadelijk zelf nog dat ik gek ben. Sara! Sara woont hier niet ver vandaan en vanavond heb ik toch een afspraak met haar. Sara moet naar me luisteren. Ze moet me geloven. Hij begint te lopen. Eigenlijk is het meer strompelen dan lopen. Als hij eindelijk bij Sara aanbelt is hij uitgeput. Zwaar hijgend leunt hij tegen de deurstijl.

'Hoi, Jacko. Ben je er al,' zegt Sara, als ze opendoet. Dan bekijkt ze hem van top tot teen en fronst haar wenkbrauwen.

64

'Jee, wat zie jij eruit.'

Jacko's kleren zijn smerig en zijn jas is gescheurd. Hij ziet eruit als een zwerver die drie dagen in de goot gelegen heeft. De wereld draait als een zweefmolen om hem heen. Hij probeert te glimlachen.

'Hoi, Sara. Alles kits, hoor.' Dan valt hij voorover op de deurmat.

Sara helpt Jacko overeind en ondersteunt hem, terwijl ze hem naar de bank in de kamer brengt. Ze trekt zijn jas uit.

'Dat kan ik zelf wel,' protesteert Jacko maar Sara duldt geen tegenspraak.

'Uh, liggen nu, en mond dicht.'

Ze loopt de kamer uit en komt terug met een kop thee.

'Drink op. En daarna vertel je precies wat er aan de hand is. Het lijkt wel of je aangevallen bent door een wild beest.'

Zwijgend drinkt Jacko de thee op. Voor het eerst vanavond voelt hij zich weer een beetje mens. Maar als hij rechtop wil gaan zitten, begint alles weer te draaien.

'Liggen blijven,' beveelt Sara. 'Begin maar bij het begin. Ik luister.'

Jacko aarzelt. Moet hij Sara wel bij dat vampiergedoe betrekken? Maar er zit niks anders op. Hij moet haar waarschuwen, het is mogelijk dat zij ook in gevaar is.

Hij vertelt haar alles. Van Edje met zijn bleke gezicht, van de nachtwaker met zijn wolfshond, tot aan de aanval van de vampiers. Hij vertelt haar zelfs zijn nachtmerrie over haar. Sara hoort alles aan zonder hem in de rede te vallen.

'Die jongens van de zonnebrilbende zijn dus een soort handlangers van de vampier geworden,' besluit

Jacko zijn verhaal, 'want ze noemden hem de baas. Ik weet zeker dat ze de nachtwaker bedoelen. De zonnebril, de vleermuisring, de wolfshond. Alles wijst erop. En toen dook opeens die oude gek in zijn kermisrolstoel op. Hij heeft mijn leven gered, omdat hij toevallig op jacht was naar vleermuizen.'

Sara staat op. Nog steeds zwijgend loopt ze naar de keuken en komt terug met de theepot.

Jacko kijkt naar haar handen die de gebloemde theepot vasthouden. Mooie handen heeft ze, denkt hij. Maar ze zegt nog steeds niks.

'Je moet me geloven, Sara. Niemand gelooft me en ik kan het niet meer aan.'

Sara slaat haar ogen op en schudt haar hoofd. 'Heb jij er al eens over gedacht om naar een psycholoog te gaan, Jacko? Ik heb nog nooit zo'n idioot verhaal gehoord. Het kan eenvoudig niet waar zijn.'

'Ik verzin het niet, Sara. Heus niet. Ik moet wel knettergek zijn om zo'n verhaal te verzinnen.'

'Daarom juist,' zegt Sara. 'Vampiers, Paulus de boskabouter in een rolstoel. Dat is je reinste...'

Een harde bons tegen het raam onderbreekt haar. Van schrik stoot Jacko zijn theekopje om.

Vleermuizen vallen aan

'Wat is dat?' fluistert Jacko. 'Verwacht je nog iemand?'

Sara schudt haar hoofd. 'Nee. Mijn vader kan het niet zijn, die heeft een sleutel.'

Nu klinkt er een schrapend geluid, alsof iemand met zijn nagels over de ruit krast.

Sara vliegt overeind. 'Wat zullen we nou krijgen. Als het Angela van de overkant is, draai ik haar nek om.' Met driftige stappen loopt ze naar het raam.

'Wacht, Sara!' roept Jacko. 'Misschien is het de vampier.'

'Schei toch uit, ik geloof niet in die onzin.' Met een woest gebaar schuift Sara de gordijnen open. Even staat ze doodstil voor het raam, dan springt ze met een gil achteruit.

Jacko komt overeind van de bank en trekt Sara weg van het raam. Vol afgrijzen staart hij naar het monsterlijke ding dat zich buiten tegen de ruit aan drukt. Het

heeft een zwarte, hondachtige snuit met spitse oren en gloeiende ogen. Vliesdunne zwarte vlerken slaan telkens tegen het raam aan. Klauwen met lange nagels krassen over het glas.

Jacko wil niet naar de lelijke kop van de vleermuis kijken, maar hij kan zijn hoofd niet bewegen. Het lijkt wel of dat beest hem hypnotiseert. De gloeiende ogen houden de zijne vast.

Opeens duwt Sara Jacko van zich af en loopt naar het raam. Zijn hypnose is verbroken, maar Sara lijkt door een onzichtbare hand naar het raam getrokken te worden. Jacko ziet wat ze van plan is. Ze wil het raam openmaken.

Achter de grote vleermuis verschijnen nu drie kleinere vleermuizen. Ze fladderen voor het raam en maken hoge piepende geluiden. Sara's hand gaat langzaam naar de klink van het raam. Ze beweegt zich als een slaapwandelaar.

'Niet doen, Sara!' schreeuwt Jacko. 'Laat hem niet binnen, dan zijn we verloren.'

Sara hoort hem niet. Haar hand grijpt de klink beet.

Jacko springt naar voren, duwt Sara opzij en schuift de gordijnen dicht.

De grote vleermuis krijst van woede. Zijn vlerken slaan tegen het raam en zijn klauwen krassen over de ruit. Het is een geluid dat door merg en been gaat.

Sara ligt languit op de vloer en staart Jacko verdwaasd aan.

'Wat is er gebeurd?' Ze kijkt met angstige ogen naar het gordijn van waarachter de krijsende, krassende en fladderende geluiden van de vleermuizen naar binnen dringen.

'Het is de vampier,' zegt Jacko met trillende stem. 'Hij had je in zijn macht. Je mag een vampier nooit in zijn ogen kijken.'

Sara is spierwit geworden en kijkt Jacko aan alsof ze niet kan geloven wat er gebeurt.

'Ik, ik wist niet wat ik deed. Ik wilde het raam openmaken om hem binnen te laten. Ik moest wel, ik kon niet anders.'

De geluiden van de vampiers worden steeds helser. Een kakofonie van gekrijs en gekras. Het is om gek van te worden.

Sara drukt haar handen tegen haar oren. 'Hou op, hou op!' gilt ze. 'Ik kan er niet tegen.'

Jacko kijkt radeloos om zich heen. Vanachter het gordijn klinken nu bonkende geluiden, alsof de vleermuizen zichzelf tegen de ruit aan gooien. Dadelijk breekt het glas en komen ze naar binnen. Hij durft het gordijn niet open te schuiven, want dan moet hij weer in die rode ogen kijken.

Een wapen. Hij moet iets hebben om hen te verdedigen. Jammer genoeg is Sara's huiskamer geen wapenopslagplaats. Hij zal het met een stoel moeten doen. Hij schuift er een onder de eettafel uit en tilt hem boven zijn hoofd, klaar om toe te slaan wanneer de vampiers door de ruit breken.

Sara heeft zich hersteld. Ze grijpt een krukje en komt naast Jacko staan. 'Geen enkele stomme vampier komt zomaar mijn huiskamer binnen,' zegt ze.

De vleugels van de vleermuizen roffelen nog steeds tegen de ruit.

'Kijk ons hier eens staan, de onbevreesde vampierdoders,' zegt Jacko. 'Een kruk en een stoel, prima wapens om een vampier te verslaan.'

Dan wordt het plotseling doodstil. Op het gordijn verschijnt een grote lichtvlek. Het ronkende geluid van een auto dringt de kamer binnen.

Gered

'Daar is papa,' roept Sara.

Jacko laat de stoel zakken en schuift het gordijn een beetje open. De vleermuizen zijn verdwenen. Op het pad staat het rode bestelbusje van Sara's vader te ronken.

'We zijn gered,' juicht Sara. Van opluchting slaat ze haar armen om Jacko heen.

Jacko is er beduusd van. Hij legt zijn hoofd op haar schouder. Nu pas begint hij over heel zijn lijf te trillen.

'Geloof je me nu?' fluistert hij.

Sara knikt. 'Het spijt me wat ik zei van die psycholoog.'

Het slot van de voordeur klikt en de vader van Sara stapt naar binnen.

'Zo, hier wordt hard gestudeerd,' zegt hij.

Verlegen laat Jacko Sara los. Sara loopt naar haar vader toe en geeft hem een zoen.

'Ik bedankte Jacko, papa, omdat hij me zo goed met mijn opstel geholpen heeft.'

'Ja, ja, dat zal wel. Waar gaat je opstel over?'

Sara kijkt Jacko vlug aan. 'Eh, over vampiers.'

'Over vampiers? Ik dacht dat jij helemaal niet van dat soort flauwekulverhalen hield.' Sara's vader geeft Jacko een knipoog. 'Zo zie je maar dat je je dochter minder goed kent dan je denkt.'

Jacko weet niet wat hij moet zeggen. Het heeft weinig zin om de waarheid te vertellen. Sara's vader zal dat beslist het vreemdste smoesje vinden wat hij ooit heeft gehoord.

Gelukkig is hij een aardige man. Hoewel hij er moe uitziet, vindt hij dat Jacko een lift naar huis verdient.

'Omdat je Sara met haar opstel geholpen hebt,' zegt hij.

Jacko bloost. Hij heeft de hele avond zelfs geen seconde aan het opstel gedacht.

'Dat is lief van je, papa,' zegt Sara.

Jacko probeert niet te laten merken hoe opgelucht hij is. Nu hoeft hij niet in zijn eentje door het donker naar huis.

Terwijl ze naar de auto lopen, fluistert hij: 'Ik denk niet dat ze vanavond nog terugkomen, maar morgen ga ik die vampier vernietigen. Het is de nachtwaker, dat weet ik zeker.'

'Wat wil jij tegen een vampier beginnen?' zegt Sara. Haar vader zit al in de wagen en start de motor.

'Ik steek een houten staak door zijn hart,' zegt Jacko. 'Dat is de enige manier om een vampier te verslaan.'

Voor Sara nog iets kan zeggen, roept haar vader: 'Komen jullie nog?' Onderweg spreken ze niet meer over vampiers.

Moeder is nog niet terug van haar computercursus wanneer Jacko thuiskomt. Opa ligt op de bank tv te kijken. In zijn hand heeft hij een glas rode wijn.

'Zo, jongen, ben je er weer? Leuk avondje gehad met je studievriendinnetje?' Hij neemt een slok. Er druipt wat wijn uit zijn mondhoeken.

Het lijkt of er bloed uit zijn mond komt, denkt Jacko. Maar dat komt natuurlijk door wat hij vanavond heeft meegemaakt.

'Ik ben aangevallen door vampiers,' flapt hij eruit.

'O?' Opa neemt nog een slok. 'Hebben ze je ook gebeten?'

'N-nee,' zegt Jacko. Hij is stomverbaasd dat opa zo luchtig reageert.

'Ach jongen, dan moet je het niet zo zwaar opnemen. Zulke dingen gebeuren als je in de puberteit zit. In mijn tijd heb ik ook dat soort problemen gekend. Ze lossen zich vanzelf op.' Opa richt zijn aandacht weer op de tv.

'Hebben ze niks anders dan die stomme quizzen,' moppert hij.

Jacko weet niet wat hij moet zeggen. De laatste tijd begrijpt hij niks van de antwoorden van opa. Het is net of opa hem voor de gek houdt. Heeft hij te veel wijn gedronken of is hij misschien aan het aftakelen? Rijp voor een verzorgingstehuis, zogezegd. Er valt niet normaal met hem te praten.

'Welterusten, opa,' zegt Jacko. Moedeloos loopt hij de trap op.

Voor hij gaat slapen controleert hij de ramen. Daarna haalt hij uit de keuken een streng knoflook, die hij aan een spijker in het kozijn bevestigt. Vampiers hebben een hekel aan knoflook, heeft hij in een boek gelezen. Hij hoopt dat het waar is. Zodra hij op zijn bed ligt, valt hij als een blok in slaap.

Erop of eronder

Of het door de knoflook komt, weet Jacko niet maar die nacht heeft hij geen last van vampiers. Voor hij naar school gaat, zoekt hij in de tuin een dikke berkentak, waar hij een scherpe punt aan snijdt. Hij voelt zich een echte vampierjager met zijn wapen. Nu moet hij alleen nog een vampier vinden en hem doorboren. Zijn hand trilt een beetje als hij de staak in zijn tas stopt en op weg gaat naar school.

In de pauze staat Jacko met Sara op het schoolplein. Sara heeft wallen onder haar ogen. Ze heeft niet goed geslapen, dat is duidelijk. Zwijgend kijken ze naar de andere leerlingen.

Misschien zijn sommigen al door de vampier gebeten, zonder dat ze het weten, denkt Jacko. Misschien twee, misschien tweehonderd.

Vandaag is alweer een leerling uit zijn klas niet komen opdagen. De lijst met griepgevallen van de directeur wordt elke dag langer. En toch schijnt niemand dat verdacht te vinden. Niemand vermoedt, of wil geloven, dat het griepvirus wel eens een vampiervirus kan zijn.

Jacko's besluit staat vast. Na school zal hij de nachtwaker opwachten en hem met de staak te lijf gaan.

'Ik vind dat een levensgevaarlijk plan,' zegt Sara. 'Maar als je het per se wil doen, laat ik je niet alleen. Ik wacht na school op je.'

'Ben je gek,' zegt Jacko. 'Ik knap het alleen op. Het zal een gevaarlijk karwei worden en ik wil niet dat er iets met jou gebeurt.' Hij klopt op zijn boekentas. 'Hier zit een houten staak in. Zodra hij het plein op komt, prik ik hem eraan vast als een borrelworstje, en klaar is Kees.'

Eerlijk gezegd voelt hij zich niet half zo stoer als hij klinkt. Hij is doodsbenauwd om alleen tegenover de vampier te komen staan, maar hij houdt zich groot tegenover Sara.

'Niks mee te maken,' zegt Sara. 'Ik wacht op je. We moeten ons hier samen doorheen slaan.'

Opeens staat Tjaard Viguur naast hen met een grijns op zijn gezicht.

'Wat zie je toch bleek vandaag, Jacko. Heb je soms weer een vampier gezien?'

'Jij ziet er zelf ook niet bepaald aantrekkelijk uit,' zegt Sara, voor Jacko iets kan antwoorden. 'Het probleem is dat jij zo geboren bent.'

De grijns verdwijnt van Tjaards gezicht. Met een kille blik kijkt hij Sara en Jacko aan. Over het wit van zijn ogen ligt een rode glans.

De zoemer kondigt het einde van de schooldag aan. Alle klassen stromen leeg. In de hal wacht Sara Jacko op.

'We verstoppen ons in het fietsenhok als iedereen weg is,' fluistert Jacko. 'Als hij de poort door komt, verras ik hem.'

Een halfuur later zitten ze nog steeds in het fietsenhok met z'n tweetjes, dicht tegen elkaar aan. De nachtwaker is niet komen opdagen. Het schoolplein is nu pikkedonker.

'Kunnen we niet beter naar huis gaan?' zegt Sara. 'Ik geloof niet dat dit zo'n best plan is. Het is veel te gevaarlijk.'

Ze heeft natuurlijk gelijk, denkt Jacko. Het is een stom plan. Wat kan ik nu met een spitse tak tegen een vampier beginnen? Maar hij wil zich niet laten kennen. Hij zal Sara wel eens laten zien hoe dapper hij is. Bovendien is het wel een prettig gevoel om hier met haar te zitten. Dat wil hij nog wel eventjes volhouden.

Plotseling klinkt het klapperende geluid van vleugels over het plein. Jacko's hartslag versnelt onmiddellijk en Sara verstijft. Een groepje duiven zeilt koerend over het plein en strijkt neer bij het fietsenhok. Jacko en Sara kijken elkaar aan en lachen allebei zenuwachtig.

Weer gaat er een lange tijd voorbij. Het wordt steeds kouder en buiten het hok begint het zachtjes te sneeuwen.

Jacko krijgt het op zijn zenuwen van het lange wachten. Zijn spieren zijn verkrampt van de kou. Eigenlijk ziet hij nu pas echt in hoe knullig zijn plan is. Hij heeft het alleen maar verzonnen om indruk op Sara te maken. Maar hij voelt zich nu niet eens meer in staat een vlieg dood te steken met een satéstokje.

'Laten we maar opstappen,' fluistert hij. 'Je hebt gelijk: het is een rotplan.'

Dan horen ze opnieuw een geluid. Bij de ingang van het hok verschijnt een donkere gedaante. Ze hebben hem niet horen aankomen. Het is de nachtwaker. Zijn hand streelt de kop van de wolfshond.

'Jacko, jou moet ik hebben,' zegt hij.

Het fietsenhok heeft maar één uitgang. Er is geen mogelijkheid om te ontsnappen. De nachtwaker wandelt kalm tussen de rekken door, naar hen toe.

Met klapperende vleugels vluchten de duiven weg bij het hok.

De staak, denkt Jacko. Nu moet ik hem wel gebruiken, hij is mijn enige wapen. Stom. Hij heeft hem nog

niet eens uit zijn tas gehaald. Hij rukt de gesp los. Daarna drukt hij op de twee metalen slotjes, die altijd zo moeilijk opengaan. Nu ook.

De nachtwaker is bijna bij hen. Koortsachtig morrelt hij aan de slotjes. Eindelijk springen ze open. Hij graait in de tas en kijkt ondertussen naar de nachtwaker. Die is nu zo dichtbij, dat Jacko in zijn brillenglazen de gezichten van Jacko en Sara weerspiegeld ziet. De wolfshond loopt vlak achter zijn baas. Nu is het erop of eronder.

'Sterf, rotvampier!' roept Jacko en hij trekt de staak te voorschijn. Hij zwaait hem boven zijn hoofd en stort zich met een schreeuw op de nachtwaker.

Het geheim van de nachtwaker

Verbaasd blijft de nachtwaker staan. Met zijn ene hand houdt hij Jacko's arm tegen. Met de andere rukt hij de staak uit zijn hand. Hij breekt de staak in tweeën alsof het een lucifertje is. De vleermuisring glinstert aan zijn vinger.

Sara springt naar voren en trekt Jacko snel weg van de nachtwaker.

De man laat Jacko's arm los en schudt zachtjes zijn hoofd.

'Dus jij denkt dat ik het ben.' Even glimlacht hij droevig. 'Je vergist je, Jacko. En als je denkt dat je met zo'n takje een vampier kunt doden, heb je het helemaal mis. De vampier waar wij mee te maken hebben, gebruikt zo'n ding als tandenstoker.'

Jacko begrijpt er niks van.

Sara kijkt argwanend naar de nachtwaker.

Die neemt zijn zonnebril af, zodat ze voor het eerst zijn gezicht goed kunnen zien. Hij heeft een smal, gegroefd gezicht. Over de brug van zijn neus, tot zelfs over zijn wenkbrauw loopt een wit litteken. Zijn ogen zijn staalblauw.

'Jullie hoeven niet bang te zijn,' zegt hij. 'Ik sta aan jullie kant. Mijn naam is Gaspar. Ik ben een vampierdoder.'

De wolfshond gaat liggen en legt zijn kop op zijn poten. Hij kijkt schuin omhoog naar zijn baas.

'Geloof me, ik ben echt geen vampier. En voor Vladimir hoef je ook niet bang te zijn. Hij is getraind in het opsporen van vampiers.' Hij zet zijn zonnebril weer op.

'Ik denk dat wij een gemeenschappelijke vijand hebben. De vampier die de leerlingen van het Stokercollege bedreigt.'

Sara en Jacko staren de nachtwaker met open mond aan. Hij schijnt meer van de zaak te weten dan zij.

'Ik zie dat jullie een beetje overdonderd zijn,' zegt Gaspar. 'Het is hier koud en niet veilig. Laten we naar mijn huis gaan, daar is het warm en zijn we goed beschermd tegen vampiers. Wij moeten praten.'

Even later zijn ze in het huis van Gaspar. Het is maar een paar straten van de school vandaan, in een onopvallend straatje.

Jacko en Sara zitten op een zwarte leren bank die naar knoflook stinkt. De kamer hangt vol met kruisbeelden en alle ramen zijn verzegeld met strengen knoflook. Allemaal middelen om vampiers af te weren. In de hoek van de kamer staat een paraplubak waarin geen paraplu staat maar een bundel houten staken met scherpe punten. Vladimir ligt buiten op wacht.

Gaspar gaat in een krakende stoel zitten.

'Jullie moeten eerst iets weten over onze tegenstander,' zegt hij. 'Tien jaar lang ben ik al op jacht naar deze vampier. Over heel de wereldbol ben ik hem gevolgd. Via allerlei landen leidde het bloederige spoor uiteindelijk naar hier. Om precies te zijn: naar het Dr Stokercollege. Toen hier een nachtwaker gevraagd werd, heb ik die kans gegrepen. Ik had het vermoeden dat hij van deze school zijn jachtgebied gemaakt had.'

Gaspar kijkt Jacko aan. 'Pas toen ik zag hoe Vladimir op jouw vriend reageerde, wist ik het zeker. Vladimir voelde dat Edje door een vampier gebeten was, daarom werd hij zo woest. En ik weet dat er al meer kinderen door het vampiergif besmet zijn. Ik heb jullie nauwlettend bespioneerd. Ergens in de school moet zijn doodskist staan, maar ik heb hem nog niet gevonden. Hij weet zich goed te verstoppen.'

'Waarom is hij hierheen gekomen?' vraagt Sara.

Gaspar grijnst, maar het is geen vrolijke grijns. 'Een school als deze is een paradijs voor een vampier. Hij heeft zijn slachtoffers zo voor het grijpen. Honderden bloedjes van kinderen. Want dat is precies waar Varlok op uit is: kinderbloed!'

'Varlok?' zegt Jacko.

Gaspar knikt. 'Varlok is zijn naam. Hij is de konings-vampier, de vampier der vampiers, zogezegd. Van oor-sprong is hij een Roemeense edelman, die in de zeven-tiende eeuw leefde. Hij was een krankzinnige kinder-moordenaar en werd opgehangen. Toen ze zijn kasteel binnenvielen zat hij te ontbijten. Voor hem op tafel stond een bord pap waarin een kinderhandje lag. In de kerkers van zijn kasteel vonden ze een berg kleine ske-letten.'

Jacko slikt en knijpt zijn tenen samen.

Sara kijkt Gaspar aan met een ongelovige uitdruk-king op haar gezicht.

'Het is geen prettig verhaal,' zegt Gaspar zacht. 'Met de strop al om zijn nek vervloekte Varlok zijn beulen. "Ik kom terug," riep hij. "Ik word de ergste nachtmerrie van jullie kinderen." Hij stierf schaterla-chend.'

Gaspar verschuift zijn stoel een beetje. 'Een half jaar na zijn begrafenis was zijn doodskist uit de graftombe verdwenen. Varlok was terug-gekeerd als vampier, machtiger dan ooit. Hij was nu in staat om zich in een vleermuis te veranderen en met zijn ogen kon hij mensen zijn wil opleggen. Opnieuw werden tientallen kinderen zijn slachtoffer. Hij was ondood, hij kon eeuwig leven en voedde zich met kinderbloed.'

Het zweet staat in Jacko's handen. Sara's gezicht is asgrauw geworden. Ze hebben niet beseft dat ze tegenover zo'n machtige, oeroude vijand stonden. Jacko rilt als hij eraan denkt hoe hij de vampier in zijn eentje met een berkentak te lijf wilde gaan.

Plotseling begint Vladimir buiten keihard te blaffen. Gaspar schiet rechtop. 'Waarom gaat hij zo tekeer?' Alledrie luisteren ze ingespannen.

Het blaffen stopt. Gaspar ontspant zich.

'Loos alarm. Enfin, ik zal mijn verhaal even afmaken. Natuurlijk kwamen er vampierjagers en ten slotte moest Varlok vluchten. Hij zwierf over de hele wereld met zijn doodskist, waarin hij overdag slaapt. Overal liet hij zijn bloederig spoor na, maar nooit kregen ze hem te pakken. Hij is sluw als een vos en sterk als tien mannen. Bovendien is hij een meester in vermommingen. Hij kan zichzelf in een dier veranderen. Meestal kiest hij de gedaante van een vleermuis omdat hij zich daardoor 's nachts nachts snel en onopvallend kan voortbewegen. Ook kan hij de gedaante aannemen van iemand die hij gedood heeft.'

Sara schudt haar hoofd, alsof ze het nog steeds niet kan geloven. 'Wat gebeurt er precies met iemand die door een vampier is gebeten?'

Gaspar heft zijn grote handen op in een hulpeloos gebaar. 'Een vampier zuigt het bloed van zijn slachtoffers op. Bovendien zit in zijn hoektanden een soort gif, net zoals in de hoektanden van sommige soorten slangen. Wanneer iemand gebeten is, komt dat gif in de bloedbaan terecht. Het verspreidt zich langzaam door het lichaam van het slachtoffer. Op den duur sterft hij en wordt zelf een vampier.'

'De drie van de zonnebrilbende,' zegt Jacko. 'Hij heeft vampiers van hen gemaakt.'

'Wie zal het volgende slachtoffer zijn?' zegt Sara met een somber gezicht.

Opeens wordt Jacko spierwit. 'Edje! Edje zag er eergisteren al anders uit. Zijn tanden waren langer. Zijn gezicht was ingevallen en wit. In het ziekenhuis denken ze dat hij gewone bloedarmoede heeft. Maar ik kon de vampiertrekken al in zijn gezicht zien.'

Opgewonden staat Gaspar op. 'Wat zeg je? Dat is een slecht teken. Dat betekent dat hij al langzaam een vampier aan het worden is. Waarschijnlijk zweeft hij op de rand van de dood. Had ik maar eerder ingegrepen. We moeten onmiddellijk naar het ziekenhuis om te redden wat er te redden valt.'

'Dus, Edje gaat dood?' zegt Jacko. Hij voelt zich schuldig omdat hij niet eerder aan zijn vriend gedacht heeft.

Gaspar pakt een grote, leren tas die er loodzwaar uitziet.

'Niet als we op tijd bij hem zijn. Ik heb een anti-vampierserum ontwikkeld. Edje heeft vampiergif in zijn bloedbaan. Mijn serum zuivert het bloed en maakt het gif onschadelijk. Als ik hem op tijd kan inspuiten met het serum, is hij gered.' Hij stopt snel nog wat spullen in de tas en loopt met grote passen naar de deur.

'Vladimir, kom!' roept Gaspar, zodra ze buiten zijn. De wolfshond komt kwispelend aanhollen en springt achter in de auto, die langs de straat geparkeerd staat. Het is een oude Landrover, waarin Gaspar de vampier over de hele wereld gevolgd is. Ze stappen in en de wagen spuit weg.

Edje wordt dol

'Waarom achtervolgt u die vampier al tien jaar zonder het op te geven?' vraagt Sara.

De auto rijdt met grote vaart door de stille straten. Het duurt even voor Gaspar antwoord geeft. Het is of er een schaduw over zijn gezicht valt.

'Tien jaar geleden was ik nog een schrijver van horrorverhalen. Ik woonde tijdelijk in Londen met mijn vrouw en dochter van tien. Wist ik veel dat er echte vampiers bestonden. Net als iedereen kende ik ze alleen uit griezelverhalen. Op een dag werd mijn dochter ziek. Ze kreeg bloedarmoede en werd steeds bleker. Ten slotte stierf ze. Maar op een nacht zag ik haar terug. Ze was een vampier geworden. Dat was het werk van Varlok, vertelde ze mij. Eigenhandig heb ik haar met een houten staak doorboord, om haar ziel te redden. Mijn vrouw stierf van ellende. Mijn haar, dat zwart was, werd van verdriet in één nacht spierwit.'

'Wat erg,' fluistert Sara.

Gaspar knikt, terwijl hij aan het stuur draait. 'Je begrijpt dus wel waarom ik Varlok desnoods tot het einde van de wereld zal achtervolgen. Ik ben afgereisd naar Roemenië en heb de geschiedenis van Varlok teruggevonden in oude boeken. Toen heb ik gezworen dat ik mijn leven zou wijden aan de vampierjacht. Deze vleermuisring zal me altijd aan die eed herinneren. Ik heb mijn pen verruild voor een houten staak.'

Met gierende banden stopt de auto op de oprijlaan van het ziekenhuis. Het is inmiddels negen uur en het ziekenhuis is in diepe rust.

'Ze laten ons vast niet bij Edje om deze tijd,' fluistert Sara.

Gaspar haalt een witte jas en een stethoscoop uit zijn tas.

'Ik ben op alles voorbereid, zoals je ziet. Het is vreemd, tegenwoordig gelooft niemand in vampiers, maar zodra je een witte jas aantrekt, gelooft iedereen onmiddellijk dat je een dokter bent. Let maar op.'

Ze stappen uit. Vladimir blijft op de achterbank liggen.

'Pas jij maar op de auto, ouwe jongen,' zegt Gaspar. Met de leren tas in zijn hand loopt hij door de glazen schuifdeuren naar binnen.

Jacko en Sara volgen hem. Achter de ontvangstbalie zit de portier een tijdschrift te lezen. Hij kijkt even op. Als hij Gaspar ziet, groet hij en leest weer verder.

'Zie je wat ik bedoel?' fluistert Gaspar.

Snel lopen ze door de hal en stappen in de lift. Op de vierde verdieping stopt de lift en ze stappen uit. Het is doodstil in de gang. Alle deuren zijn dicht. De meeste patiënten slapen waarschijnlijk al.

'Achteraan, de laatste deur, kamer 425,' fluistert Jacko. Op dat moment klinkt er een vreselijke gil door de gang. Hij komt uit de kamer van Edje.

'Vlug!' schreeuwt Gaspar en hij stormt naar kamer 425, trapt de deur open en gaat naar binnen. Sara en Jacko volgen hem op de hielen. Als bevroren blijven ze op de drempel staan. Dwars over het bed van Edje ligt de nachtverpleegster. Ze is blijkbaar flauwgevallen. Edje zit boven op haar, zijn hoofd over haar keel gebogen.

'Hij is een vampier. Hij heeft haar gebeten,' roept Sara.

Edje richt zich op, kijkt hen aan met een boosaardige blik en grijnst. Er ligt een dieprode glans over zijn ogen. Zijn hoektanden zijn lang en gebogen als halve maantjes. Uit zijn mondhoeken druipt bloed.

Gaspar aarzelt geen moment. Hij springt op het bed

en rukt Edje weg van de verpleegster. Edje sist als een slang maar Gaspar houdt hem in een stalen greep.

'Vlug, pak mijn tas,' hijgt hij. 'Daarin zit een injectiespuit en een flesje met het anti-vampierserum. Vul de spuit en injecteer het serum in zijn arm. Snel, want ik kan hem niet lang houden.'

Ondanks zijn uitgemergelde lijf is Edje ontzettend sterk. Hij draait en wringt om uit de ijzeren greep van Gaspar te ontsnappen. Ze rollen heen en weer naast het bewusteloze lichaam van de verpleegster. Het bed schokt en verschuift door het geworstel.

Snel doet Jacko was Gaspar gevraagd heeft. Zijn handen trillen zo erg, dat hij de injectiespuit niet gevuld krijgt.

'Laat mij het maar doen,' zegt Sara. 'Mijn vader heeft suikerziekte, ik heb het wel eens gedaan.' Ze neemt de naald uit Jacko's hand en vult hem snel en vakkundig. Jacko staat versteld van haar kalmte.

Edje tiert en blaast als een dolleman. Er staat schuim

op zijn lippen en hij trapt woest met zijn benen in het rond.

'Pas op dat hij de naald niet wegschopt,' hijgt Gaspar.

Jacko duikt ook op het bed om samen met Gaspar Edje in bedwang te houden.

'Tjonge, Edje, wat kun jij lelijk doen,' zegt hij.

Edje gromt en hapt naar Jacko's hals. Het is duidelijk dat hij hem niet eens herkent.

Snel stroopt Sara een van Edjes mouwen omhoog, zoekt een ader en steekt de naald in zijn arm. Even lijken Edjes ogen twee keer zo groot te worden. Dan vallen ze dicht en verslapt hij.

'Het is voorbij,' zegt Gaspar.

Voorzichtig leggen ze Edje op het bed neer.

Jacko kijkt ongerust naar het bleke, slappe lichaam van zijn vriend. 'Is hij toch dood? Zijn we te laat?'

Gaspar schudt zijn hoofd. Zweetdruppels vliegen in het rond. Hij hijgt nog steeds.

'Nee, we waren net op tijd. Hij begon zich wel als een vampier te gedragen, maar was het nog niet echt. Anders had het serum geen uitwerking op hem gehad. Het werkt alleen bij personen, die besmet zijn door de vampierbeet. Bij een echte vampier helpt alleen de houten staak.'

De verpleegster die nog steeds bewusteloos is, kreunt. Gaspar pakt een nieuwe injectienaald en spuit ook haar in.

'Voor de zekerheid. Edjes beet is ongevaarlijk omdat hij nog geen echte vampier was, maar hierdoor zal ze het zich niet herinneren. Dat is beter.'

'Wat doen we nu?' zegt Sara. Ze veegt het bloed van Edjes mondhoeken en trekt de dekens op tot aan zijn kin. Hij ademt rustig met de mond halfopen. De vampiertrekken zijn uit zijn gezicht verdwenen. Zijn tanden zijn weer kort en recht.

'Maak je geen zorgen over Edje,' zegt Gaspar. 'Hij zal ongeveer achtenveertig uur slapen en dan is hij volledig opgeknapt. Van het gebeurde zal hij zich niets herinneren.'

De verpleegster doet haar ogen open en gaat verbaasd rechtop zitten. Ze kijkt Gaspar slaperig aan.

'Wie bent u? Ik ken u niet?'

'Ik ben nieuw hier,' zegt Gaspar. 'U was flauwgevallen, geloof ik.'

'Ja, wat vreemd,' zegt de verpleegster. Ze werpt vlug een blik op Edje, die er vredig uitziet in zijn slaap.

'Wat gek, ik kan me er niets van herinneren.'

Opeens kijkt ze Jacko onderzoekend aan. 'Ken ik jou niet? Ben jij niet die jongen die geloofde dat er hier een vampier was?'

'Vampiers?' zegt Jacko. 'Wie gelooft er nou in vampiers?'

Wordt opa dement?

'Ik zal jullie allebei thuis afzetten,' zegt Gaspar. Ze zitten alweer in de Landrover en rijden de oprijlaan van het ziekenhuis af. Vladimir ligt te slapen met zijn kop op Sara's schoot.

'Jullie ouders vragen zich natuurlijk af waar jullie geweest zijn.'

'Mijn vader niet,' zegt Sara. 'Hij komt zelf altijd pas laat thuis.'

'Mijn moeder zal wel boos zijn,' zegt Jacko. 'Wat moet ik haar vertellen?'

'Verzin maar een smoes,' zegt Gaspar. 'Die zal ze eerder geloven dan de waarheid.'

Sara huivert. 'Wat een afschuwelijk monster is die vampier om Edje zoiets aan te doen. Zijn we nog wel ergens veilig voor hem? Kunnen we nog naar school?'

Gaspar stuurt de wagen met één hand door de bocht. Met zijn andere hand klopt hij op haar schouder.

'Maak je niet ongerust. Op school kan je niks gebeuren. Een vampier maakt overdag nooit slachtoffers. Hij moet wachten tot de zon onder is. Bovendien kan hij niet zomaar je huis binnendringen. Hij moet eerst door een van de bewoners zijn uitgenodigd. Dat is een oude wet. Hou je ramen en deuren dicht en laat niemand binnen.'

Een donkere gedaante steekt in het licht van de koplampen de straat over. Hij blijft staan en houdt een arm omhoog. Sara en Jacko schrikken, maar het is een dronkaard, een eenzame man die snel naar de kant holt als Gaspar toetert. Ze rijden de straat in waar Sara woont. Gaspar stopt voor haar huis.

'Er is nu geen tijd meer te verliezen,' zegt hij. 'We hebben Edje gered, maar wie weet hoeveel andere leerlingen er door een vampierbeet besmet zijn. Er is maar één oplossing. Ik moet de vampier vinden en hem doden. Wanneer Varlok vernietigd is, heeft zijn beet geen uitwerking meer. Iedereen die met het gif besmet is, zal op slag genezen zijn.' Gaspar neemt zijn zonnebril af en strijkt over zijn ogen.

'Morgen is de school om half vier uit, vanwege de schouwburguitvoering 's avonds,' zegt hij. 'Zodra iedereen weg is, ga ik het hele gebouw uitkammen. Het is tijd om tot de aanval over te gaan. Ik durf er mijn kop om te verwedden dat Varloks doodskist ergens in de school verborgen is.' Hij kijkt Jacko en Sara ernstig aan. 'Willen jullie mij helpen? Jullie twee zijn de enige personen die ik kan vertrouwen.'

Jacko en Sara aarzelen geen moment. Gaspar heeft Edje gered, ze kunnen hem nu niet in de steek laten.

'Morgen ben ik jarig,' zegt Jacko. 'Als we de vampier kunnen verslaan, is dat een prima verjaardagscadeau. Ik doe mee.'

'Ik ook,' zegt Sara.

'Geweldig,' zegt Gaspar. 'Ik denk dat ik hem deze keer echt te pakken krijg. Tien jaar lang heb ik alleen met Vladimir op hem gejaagd, omdat niemand anders in vampiers wilde geloven. Ze hebben mij voor gek verklaard en wilden mij zelfs in een inrichting stoppen. Dit is de eerste keer dat ik hulp krijg.'

Sara glimlacht tegen Gaspar. Ze knijpt Jacko in zijn hand en stapt uit de auto.

'Tot morgen dan.'

Gaspar rijdt Jacko naar huis en zet hem voor de deur af.

'Wacht morgen om vier uur bij het fietsenhok op mij,' zegt Gaspar. 'De vampier slaapt tot zonsondergang in zijn doodskist. We hebben dan een uur om hem te vinden. Het is niet lang, maar we moeten het ermee doen. Tegen vijf uur gaat de zon onder en verlaat hij zijn kist. We moeten hem voor die tijd vinden. Ik zorg voor de houten staken.'

'Waar voor de drommel was jij?' zegt Jacko's moeder, zodra hij de kamer binnen komt.

'Ik, eh, ben Edje gaan opzoeken in het ziekenhuis,' zegt Jacko. Hij hoeft niet eens te liegen.

'Had je niet even kunnen bellen? Er was nog wel bezoek vanavond.'

'O ja? Wie dan?'

'Niemand minder dan de directeur van jouw school,' zegt zijn moeder. 'Hij kwam kennismaken met ons. Hij vroeg nog naar jou.'

Dat is waar ook. De directeur legt huisbezoeken af, dat heeft Edje hem nog verteld.

Jammer voor hem, denkt Jacko. Had hij maar een andere dag moeten uitkiezen. Die man heeft geen flauw idee van wat er werkelijk op zijn school aan de hand is.

'Had hij nog iets bijzonders te vertellen, mama?'

Moeder schudt haar hoofd. 'We hebben even over jou gepraat. Hij bleef maar heel kort, want hij moest nog veel meer bezoeken afleggen vanavond.'

'Ik mag hem niet,' zegt opa opeens. Hij zit met een glas rode wijn in een luie stoel. 'Heb hem trouwens nooit gemogen.'

'Doe niet zo raar, pa,' zegt moeder. 'Je hebt hem nooit eerder gezien.' Ze kijkt Jacko aan. 'Opa begint echt een beetje dement te worden,' fluistert ze. 'Ik geloof dat hij herinneringen uit zijn jeugd verwart met het heden.' Ze schudt haar hoofd.

'Het is lang geleden, maar nu herkende ik hem weer,' bromt opa, koppig als een klein kind. Hij staat op.

'Ik bedenk opeens dat ik nog naar de handboogclub moet. We hebben vanavond een vergadering. Morgen gaan we met z'n allen een dagje op stap.'

'Morgen is Jacko jarig!' roept moeder.

Opa trekt zijn wenkbrauwen op. 'Ja? Dat ben ik zeker vergeten. Nou ja, het mooie van verjaardagen is dat ze elk jaar terugkomen. Volgend jaar is er weer een en ik beloof dat ik er dan zal zijn.' Hij geeft Jacko een knipoog.

'Het geeft niet, opa,' zegt Jacko. Hij heeft een brok in zijn keel. Misschien is morgen wel de laatste verjaardag die ik zal beleven, denkt hij.

'Jacko,' zegt moeder, voor hij de trap op loopt. 'Wil je in het vervolg alsjeblieft geen knoflookstrengen meer in je raamkozijn hangen? Waar is dat in hemelsnaam goed voor? Ik heb dat ding weggehaald, want je hele kamer stinkt ernaar.'

Jacko wil protesteren, maar dan bedenkt hij zich. Het maakt niet uit. Een vampier kan een huis niet binnengaan als hij niet eerst uitgenodigd wordt, heeft Gaspar gezegd en Jacko is beslist niet van plan Varlok uit te nodigen voor een bezoekje.

Als hij in bed ligt, valt hij haast onmiddellijk in slaap. Morgen, denkt hij. Morgen word ik dertien jaar. Morgen ga ik op vampierjacht, samen met Sara. Wat een manier om je verjaardag te vieren.

De jacht begint

De volgende morgen voelt Jacko zich zo gammel als een oude strijkplank. Hij is een beetje misselijk en heeft een rotsmaak in zijn mond. Dus zo voelt het aan om dertien jaar te worden, denkt hij. Dan was ik liever twaalf gebleven.

Als hij de trap af komt, omhelst moeder hem. Ze drukt hem een in kleurig papier verpakt cadeau in de handen.

Jacko is niet zo nieuwsgierig naar zijn cadeau als op eerdere verjaardagen. Als hij het papier losscheurt,

komt er een bouwpakket voor de Diplodocus te voorschijn.

'De Jodokus,' zegt moeder glunderend. 'Die wou je toch zo graag hebben?'

Normaal zou Jacko dolblij zijn. Nu mompelt hij een kort bedankje en zet de doos ongeopend op de tafel. Het is moeilijk om enthousiast te zijn over een plastic dinosaurus, als je dezelfde dag op jacht gaat naar een vampier van vlees en bloed.

Moeder begrijpt zijn reactie niet. 'Ben je er niet blij mee, jongen? Is het toch de verkeerde?'

'Nee heus, deze zocht ik al heel lang, mama. Dankjewel. Ik ga hem vanavond meteen in elkaar zetten.'

Aan tafel krijgt hij haast geen hap naar binnen. Moeder voelt zich ook niet best. Ze heeft waterige ogen en niest verschillende keren. Dan kijkt ze hem onderzoekend aan.

'Waarom eet je toch zo weinig, Jacko? Je wordt toch niet ziek op je verjaardag, hoop ik. De laatste tijd zie je er maar slecht uit.'

'Gewoon vermoeid van het schoolwerk, mam. Kijk maar uit dat je zelf niet ziek wordt.' Hij schuift het bord opzij, neemt een slok thee en staat dan op.

'Nou ja, morgen begint de kerstvakantie,' zegt moeder en ze niest weer. 'Dan heb je lekker twee weken om uit te rusten. Deze ene dag kom je nog wel door.'

Ja, denkt Jacko. Even een vampier vernietigen en dan is het kerstvakantie. Hij kan haar moeilijk vertellen dat deze dag de gevaarlijkste uit zijn leven zal worden. Hij pakt zijn tas en geeft zijn moeder een extra dikke kus. Het is een merkwaardig gevoel dat dit misschien een laatste afscheidskus is.

'Doe de groeten aan opa,' zegt hij haastig. 'Zeg maar... zeg maar dat ik dol op hem ben.'

Moeder kijkt hem verbaasd na, als hij snel de deur uit loopt.

'Gefeliciteerd,' zegt Sara als hij op het schoolplein is. Onverwachts geeft ze hem een zoen op zijn wang.

Jacko is verrast, maar zelfs door Sara's zoen verdwijnt zijn onbestemde gevoel niet. Hij kijkt omhoog. De lucht is grijs en somber en lijkt een voorbode van wat komen gaat.

'Ben je bang?' fluistert Sara.

'Doodsbang,' geeft Jacko toe. 'Ik wou dat het achter de rug was.'

Sara knikt. 'Ik knijp hem ook vreselijk. Wat zou Gaspar nu aan het doen zijn?'

Jacko haalt zijn schouders op. 'Misschien is hij zijn houten staken aan het slijpen.' Even voelt hij medelijden met de vampier. Het moet geen pretje zijn om een paar honderd jaar over de aarde te zwerven. Steeds op zoek naar bloed. Steeds op de vlucht voor jagers met houten staken. Altijd het gevaar dat ze je op een dag slapend in je doodskist vinden. En dan slaan ze zo'n scherpe staak door je hart. Hij schrikt van zijn eigen gedachten. Welja, krijgt hij nog medelijden ook met die lelijke oude bloedzuiger.

Omdat het de laatste dag voor de vakantie is, wordt er nauwelijks lesgegeven. Iedereen kijkt uit naar de voorstelling in de schouwburg die om halfzes zal beginnen. Vier leerlingen hebben zich ziek gemeld. In Jacko's klas zijn nu al zeven kinderen afwezig. Slachtoffers van de griep? Of van het vampiervirus?

Meneer Lobit maakt zich er in elk geval niet druk om.

Hij heeft David Kroon uitgekozen als vervanger van Edje. Af en toe werpt hij een merkwaardige blik op Jacko.

Hij is vast beledigd dat ik niet in zijn stuk wil spelen, denkt Jacko. Nou, hij kan de pot op met zijn vampier-voorstelling.

Om vier uur staan Sara en Jacko bij het fietsenhok. De laatste leerlingen verlaten het plein en ze blijven alleen achter.

Even later wandelt Gaspar met Vladimir door de poort naar binnen. Jacko herkent hem eerst niet. Hij heeft de zwarte kleurstof uit zijn haren gewassen, zodat ze spierwit zijn. En hij draagt geen zonnebril meer.

'Ik hoef me niet langer te vermommen,' zegt hij. 'Ik wil dat Varlok me in de ogen kijkt en mij herkent als hij sterft.'

Hij ziet er vastberaden uit en klinkt zelfverzekerd. Over zijn schouder hangt een tas, waar een stuk of vijf houten staken in zitten. Hij haalt twee lange strengen knoflook te voorschijn. 'Hier. Jullie moeten deze strengen om je hals hangen. Ze bieden enige bescherming tegen vampiers.' Hij recht zijn rug en legt zijn handen op hun schouders. 'Zijn jullie klaar?'

Jacko en Sara knikken. Sara ziet een beetje witjes. Jacko voelt zich wat misselijk. De geur van knoflook om zijn hals is scherp en doordringend.

Ik kan me voorstellen dat vampiers hier een hekel aan hebben, denkt hij.

'Kop op,' zegt Gaspar. 'Met een beetje geluk hebben wij de wereld straks van een groot kwaad bevrijd.'

Vladimir kwispelt en wrijft zijn kop tegen hun handen, alsof hij hen moed wil inwrijven.

'Oké. De vampierjacht gaat beginnen,' zegt Gaspar.

Boven de school pakken donkere wolken zich samen. Het gebouw, dat een half uur geleden nog vol leven en rumoer was, lijkt nu opeens een dreigend oord. Als het kasteel van een vampier.

Het lijk onder de kelder

Gaspar opent de deur met een van zijn sleutels en gaat Jacko en Sara voor, naar binnen. De deur valt achter hen in het slot en ze staan in de hal, afgesloten van de buitenwereld.

'We beginnen in de kelder,' fluistert Gaspar. 'Daar komt nooit iemand. Je zou er gemakkelijk een doodskist kunnen verbergen, zonder dat er een haan naar kraait.'

Zwijgend lopen ze een van de lange gangen in. Gangen die overdag de gewoonste zaak van de wereld zijn, lijken nu gevaarlijke tunnels, waar elk moment een vampier uit te voorschijn kan komen.

De stilte is angstaanjagend. Bij elk geluid schrikt Jacko op. In de buizen van de verwarming borrelt het, planken kraken, ergens klappert een raam. Niemand zegt iets, alsof één woord verschrikkelijke gevolgen kan hebben.

Gaspar stapt vastberaden door en trekt zich niks van de geluiden aan. Jacko voelt zich nog steeds een beetje misselijk van de knoflookgeur. Af en toe tranen zijn ogen. Hij kijkt opzij naar Sara.

Blijkbaar kan zij beter tegen die doordringende geur dan hij. Ze ziet er verbazend kalm uit. Met een hand strijkt ze haar rode haar naar achteren. Jacko ziet haar hals. Een mooie hals heeft ze, vindt hij. Een hals om in te bijten.

Waar komt die rare gedachte vandaan? Jacko wordt er totaal door verrast. Dit is niet het moment voor gekkigheid, denkt hij boos.

Aan het einde van de lange gang is een trapje. Het komt uit in een klein portaal en daar is een deur.

Gaspar pakt de sleutelbos die aan zijn riem hangt en

steekt een sleutel in het gat. Het slot knarst, alsof het honderd jaar niet gebruikt is. Gaspar duwt de deur open. Vanuit het duister komt een koude, muffe lucht hen tegemoet. en lichtknop is nergens te ontdekken.

'Dan maar zo,' zegt Gaspar en haalt een zaklantaarn uit zijn tas.

Vanuit de deuropening laat hij de lichtbundel door de ruimte glijden. De straal onthult oude schoolbanken, stoffige dossiers en kartonnen dozen vol papier. Voorzichtig lopen ze de kelder in.

'Hier is hij niet, zo te zien,' mompelt Gaspar.

'Iek!' roept Sara. Ze springt naar achteren en botst tegen Jacko aan.

'Wat is er?' zegt hij geschrokken.

'Er kroop iets over mijn voet!'

Vanuit het duister staren kleine, glimmende oogjes hen aan. Vladimir begint te grommen.

'Ratten. Die doen geen kwaad,' zegt Gaspar. Hij loopt verder de kelder in en wriemelende kleine gedaanten vluchten weg tussen de kartonnen dozen.

'Enge beesten,' zegt Sara. Ze grijpt Jacko's hand beet. Hij knijpt er bemoedigend in.

'Hé, kom eens kijken,' roept Gaspar en hij zakt op zijn hurken.

Sara en Jacko lopen naar hem toe. Op de vloer ligt een dikke stalen ring.

'Dit is een luik. Hieronder is nog een ruimte.' Gaspar pakt de ring beet en trekt het luik open.

Een afschuwelijke stank stijgt uit de opening op. Ze knijpen alledrie hun neus dicht. Met zijn lantaarn schijnt Gaspar in de kille duisternis.

Onder het luik bevindt zich een gemetseld vierkant hok. Ze buigen zich over de rand en kijken naar beneden. Gaspar sist tussen zijn tanden. Op de bodem van het hok lig een gedaante in een vreemde, gebogen houding.

De vampier! is het eerste wat Jacko denkt. Maar als Gaspar zijn lantaarn op de gedaante richt, ziet hij dat het een man is. Een dode man.

Sara keert haar gezicht af en ook Jacko kijkt een andere kant op. Gaspar schudt zijn hoofd.

'Zo te zien ligt die arme donder hier al weken.' Hij richt de lichtbundel op het gezicht. 'Wie zou dat zijn?'

Met afkeer buigt Jacko zich over het gat. Het kost hem moeite om te kijken. Het gezicht is al in staat van ontbinding. Toch herkent Jacko het. Hij is verbijsterd. Het is het gezicht van de directeur.

'Wat zeg je?' Gaspar schiet overeind en de lantaarn schijnt vol in Jacko's gezicht.

'De directeur,' fluistert Jacko. 'Maar hoe kan hij al weken hier liggen? Gisteravond was hij nog bij ons. Of heeft hij soms een tweelingbroer?'

Gaspar slaat zich op het voorhoofd. 'De directeur. Waarom heb ik daar niet eerder aan gedacht. Nu is alles me opeens duidelijk!'

Sara en Jacko kunnen hem niet zo gauw volgen.

'Ik heb de directeur nooit persoonlijk ontmoet,' zegt Gaspar. 'Het schoolbestuur heeft mij hier aangesteld maar de directeur was daar niet bij. Ik denk dat Vladimir hem meteen herkend zou hebben. Een hond laat zich niet misleiden door vermommingen en gedaanteveranderingen.'

'Wat bedoelt u?' zegt Sara.

'Snappen jullie het niet? Dit hier is het lijk van de echte directeur. Varlok moet hem al weken geleden vermoord hebben. Daarna heeft hij zijn plaats ingenomen, zonder dat iemand er iets van merkte. Hij kan immers de gedaante aannemen van iemand die hij gedood heeft. Jullie hebben een vampier als directeur.'

Sara en Jacko zijn te verbluft om iets te zeggen.

Gaspar is helemaal opgewonden door de ontdekking.

'De sluwe vos is brutaler dan de duivel zelf. Alleen Varlok kan zo'n afschuwelijk plan bedenken. Stel je voor, als hij als directeur ergens aanbelt, laat iedereen hem binnen. Wanneer een vampier eenmaal uitgenodigd is in een huis, kan hij voortaan elke nacht zonder moeite naar binnen. Ramen en deuren houden hem niet meer tegen.'

Jacko staart Gaspar geschrokken aan. 'Dat klopt. De

directeur was bij Edje op bezoek, vlak voor hij de vampierziekte kreeg.'

Opeens verbleekt hij. 'Gisteravond is hij bij ons op bezoek geweest, dus nu ben ik thuis ook niet meer veilig.'

'Maak je niet druk,' zegt Gaspar. 'We weten nu wie hij is. Als we zijn doodskist vinden, is het afgelopen met hem.'

'Maar waar is die kist dan?' zegt Sara.

Gaspar wrijft peinzend over zijn slapen. 'Dat is een goede vraag. In elk geval niet hier in de kelder.'

'Misschien staat hij wel in zijn kamer,' zegt Jacko.

Gaspar klapt het luik dicht. 'Kom mee, op naar de kamer van de directeur.'

Ze hollen door de gangen. Buiten is het al aan het schemeren. De tijd lijkt vandaag op hol geslagen, denkt Jacko. Het duister nadert veel te snel.

Vladimir staat al met zijn voorpoten aan de deur te krabben, als ze de kamer van de directeur bereiken. Hij blaft keihard. De deur is op slot maar Gaspar heeft hem in een wip open met een loper die aan zijn sleutelbos hangt.

'Opgepast!' Voorzichtig duwt hij de deur open.

Het is volkomen donker in de kamer. De gordijnen voor de grote ramen zijn dicht. Het enige meubelstuk in het vertrek is het enorme bureau van de directeur. Gaspar loopt naar het raam en trekt de gordijnen open om licht binnen te laten. Het blijft donker. De ramen zijn verduisterd met houten schotten die geen streepje licht doorlaten. Jacko drukt op de lichtknop. Een hanglamp boven het bureau werpt een gele lichtkring op het bureaublad.

'Hij heeft deze kamer zo ingericht dat er geen zonlicht binnen kan komen,' zegt Gaspar. 'Daardoor kan hij zelfs overdag in deze kamer zitten, als het moet.'

Hij neemt de kamer in zich op. 'Maar waar is zijn doodskist? Een vampier is overdag altijd doodmoe. Hij heeft een paar uur slaap nodig in een doodskist om op krachten te komen.'

Jacko kijkt in het rond. Nergens is een deur, of een geheime kast waarin je een doodskist kunt verbergen. Vladimir loopt snuffelend om het bureau heen en jankt zachtjes.

'Wat is er, Vladimir?' zegt Gaspar. Hij gaat op zijn knieën naast de hond zitten. Vladimir jankt opnieuw en krabbelt aan het bureau.

'Er is iets met het bureau,' zegt Gaspar. 'Kom eens kijken.' Jacko en Sara hurken naast hem neer. Vladimir blaft en loopt onrustig om het bureau heen. Op zijn knieën kruipt Jacko achter hem aan.

'Hier zit een knopje,' roept hij. 'Het zit verborgen onder het bureau.' Hij drukt.

Meteen klapt het blad als een deksel langzaam open tot het recht omhoogstaat, overeind gehouden door twee stalen pianoscharnieren.

Vanbinnen is het bureau hol. En in die ruimte staat een zwarte doodskist.

Het monster in de kist

De drie vampierjagers scharen zich rond de zwarte kist. Zwijgend. Walgend. Wat valt er te zeggen? In dit ding heeft de vampier eeuwenlang gerust, als hij verzadigd was van het bloed dat hij opgeslurpt had. Er walmt een oeroude, smerige graflucht vanaf.

De kist is een symbool van het kwaad. Vladimir jankt onophoudelijk.

Gaspar verbreekt de loodzware stilte in de kamer. Hij trekt een hamer en een houten staak uit zijn tas. 'Eindelijk. We hebben hem te pakken,' zegt hij. 'In deze kist ligt hij te slapen. Nu is de tijd voor de afrekening gekomen.'

Jacko schrikt van de blik in Gaspars ogen. Er ligt iets waanzinnigs in. Moordlust. De haat in zijn blik is zo intens dat Jacko een huivering niet kan onderdrukken.

Ben ik even blij dat ik geen vampier ben, denkt hij. Hij wordt zich weer bewust van de knoflookgeur die om hem heen hangt.

'Maak de kist open en schrik niet,' zegt Gaspar met een ijskoude stem. 'Hij kan er afschuwelijk uitzien. Ik weet niet in wat voor gedaante hij in zijn kist ligt. Misschien slaapt hij met zijn ogen open. Kijk niet in zijn ogen. Als je dat doet, ben je verloren.'

Jacko aarzelt. Wie weet wat er uit de kist te voorschijn komt.

'Kom op Jacko,' zegt Sara, die zijn aarzeling bemerkt.

Hij zet het angstige gevoel van zich af.

Samen grijpen ze het deksel beet en trekken er met al hun krachten aan. Gaspar staat klaar om de houten staak door het hart van de vampier te drijven. Zijn ogen zijn gefixeerd op de kist.

'Het deksel is loodzwaar,' steunt Jacko. 'Er komt geen beweging in.'

'Kom op, harder trekken,' beveelt Gaspar. 'Snel! Elk moment kan de zon ondergaan.' Zijn stem klinkt schor van de spanning.

'Nog een keer,' hijgt Sara.

Kreunend doen ze een nieuwe poging. Langzaam geeft het deksel mee. Dan schiet het over een dood punt heen en klapt vanzelf open.

Er klinkt een afschuwelijk gekrijs. De kist braakt een dikke grijze mist uit. Felle rode ogen branden in de grijze massa. In de kist komt een skelet met rammelende botten overeind.

Sara en Jacko tuimelen achterover, languit op hun rug. Gaspar deinst terug, struikelt over zijn tas en smakt met zijn hoofd tegen de muur. Jacko en Sara kruipen in paniek naar een hoek van de kamer. Zelfs Vladimir drukt zich met de staart tussen de poten tegen de muur.

De smerige mist vult de kamer, maar toch kunnen ze zien hoe het skelet met houterige bewegingen rechtop gaat staan. Er voltrekt zich iets ongelooflijks. Jacko denkt dat hij droomt.

In razend tempo groeit er vlees op de witte beenderen. Huid kruipt als kaarsvet over de schedel, tot ook het hoofd geheel met vlees bekleed is.

Het is verval in omgekeerde vorm. De neus stulpt naar voren en wordt een lange snavelachtige bek. Vlerken ontvouwen zich als paraplu's onder de oksels. Het hele proces voltrekt zich in minder dan vijf seconden. Het monster slaat met zijn vlerken om zich heen en stoot een snerpende kreet uit. Het lijkt op een reuzenvleermuis maar dan met een lange, spitse bek met rijen scherpe tanden.

Met open mond staart Jacko naar het gedrocht. Een

pterodactylus! denkt hij. Varlok heeft de gedaante van een pterodactylus aangenomen. De kop van het prehistorische beest deint heen en weer op de dunne, gerimpelde nek. Maar de ogen zijn de ogen van de vampier. Hij kijkt Jacko heel even aan.

Jacko deinst terug met het gevoel dat er iemand in zijn geest rondwroet. Bijna gaat hij van zijn stokje.

De getande snavel van het monster gaat open in een spottende grijs. Dan wendt hij zich van Jacko af en richt zich naar Sara. Haar angstkreet brengt Jacko weer bij zijn positieven. Sara ligt languit op de grond en het beest zit boven op haar.

Opeens springt Vladimir grommend op het monster af. De hond heeft geen schijn van kans. De verschrikkelijke bek gaat open en sluit zich om Vladimirs nek. Een korte ruk en de hond valt op de vloer.

Jacko schreeuwt van woede. Zonder na te denken springt hij overeind, rukt de knoflookstreng van zijn hals en gooit hem in de opengesperde bek. Er gaat een stuiptrekking door de magere nek van de pterodactylus. Hij maakt rochelende geluiden en kokhalst. Maar nog steeds houden zijn klauwen Sara in hun greep. In doodsnood trekt ook Sara de streng van haar hals en werpt hem in het keelgat van de pterodactylus. Met een loeiende kreet springt hij naar achteren. Blijkbaar zijn twee strengen te veel van het goede.

Het oerbeest kruipt kermend naar achteren, slaat zijn vleugels uit en springt dwars door het raam naar buiten. De houten schotten vliegen aan splinters en de glazen ruiten vallen rinkelend aan scherven.

Jacko ziet het monster in oostelijke richting verdwijnen, hoog boven de huizen. De lucht is donker en de zon is verdwenen. Tegelijk met de vampier wordt de mist door het gat in het raam naar buiten gezogen.

'Ontsnapt. Hij is me weer ontsnapt.'

Gaspar komt wankelend overeind. Verslagen staart hij naar de versplinterde ruit. Op de zijkant van zijn hoofd zit een lelijke buil.

'Nog nooit ben ik zo dicht bij hem geweest.' Dan ziet hij het roerloze lichaam van zijn hond liggen. Hij knielt bij hem neer en streelt over zijn kop. Zijn gezicht is een masker van verdriet.

'Vladimir, trouwe makker, nu heeft het monster jou ook te pakken. Mijn dochter, mijn vrouw en nu ook mijn hond.' Zijn stem klinkt toonloos. 'Ik kan niet meer huilen. Maar ik zal je wreken, dat zweer ik.'

Sara krabbelt overeind met tranen in haar ogen.

Jacko staart bedroefd naar de vloer. Maar op zijn netvlies staat nog steeds het beeld van de pterodactylus.

Bezorgd kijkt Gaspar hen aan. 'Gelukkig leven jullie allebei nog. Het had veel erger kunnen aflopen.'

Sara strijkt door haar haren. 'Ik had van alles verwacht maar geen skelet.'

'En zeker geen pterodactylus,' zegt Jacko. Hij durft het niet te zeggen, maar ondanks alles was het een ongelooflijke ervaring een beest uit de oertijd in levenden lijve te aanschouwen. Hij zou het graag nog een keer zien, uit de verte.

'Ik weet ook niet waarom hij die gedaante aannam,' zegt Gaspar. 'Misschien betekent het dat de vampier veel ouder is dan we denken. Misschien stamt hij al uit de oertijd en gaat hij telkens over in andere personen.' Hij haalt zijn schouder op. 'Doet er niet toe. Hij is weg. Maar waarheen? Dat is de vraag.'

Plotseling krijgt Jacko een raar gevoel in zijn hoofd. Hij ruikt vreemde geuren en proeft de smaakt van bloed in zijn mond. Ook hoort hij een druk geroezemoes, alsof honderden stemmen in een grote zaal door elkaar praten. Wat gebeurt er met me? denkt hij. Het is net of zijn geest een antenne is, die bij vlagen verkeerde signalen ontvangt. Hij wrijft met zijn vingers over zijn slapen, tot het vreemde gevoel verdwenen is.

Gaspar slaat het bureaublad met een klap dicht. 'Wist ik maar waar hij heengegaan is.'

Jacko kijkt naar het raam. 'Hij vloog naar het oosten, dat is alles wat ik gezien heb.'

'Het oosten? Wacht eens, wacht eens.' Gaspar denkt koortsachtig na.

'De schouwburg,' zegt Jacko. 'Hij is naar de schouwburg.'

'Dat is het!' Gaspar geeft een klap op het bureau. 'De schouwburg, natuurlijk, om half zes zijn alle leerlingen daar bij elkaar in de grote zaal. En de directeur zal ook aanwezig zijn.'

'Maar wat is hij dan van plan?' zegt Sara.

Gaspar heeft een wilde blik in zijn ogen. 'Ik weet het niet maar het zal ongetwijfeld iets vreselijks zijn. Als wij hem niet tegenhouden, vallen er vanavond misschien tientallen slachtoffers.'

Ze werpen een laatste blik op het lichaam van Vladimir.

'Slaap zacht, trouwe makker,' zegt Gaspar. 'Ik zal ervoor zorgen dat je niet voor niets gestorven bent. De eerste ronde was voor Varlok, maar de tweede ronde zal voor ons zijn.' Hij kijkt op zijn horloge. 'Het is nu kwart over vijf. We moeten voor half zes bij de schouwburg zijn.'

Zo snel als ze kunnen verlaten ze de school en steken het plein over. Nog voor Sara en Jacko in de auto geklommen zijn, start Gaspar de motor. Als hij optrekt, laten zijn banden in de sneeuw een donker slipspoor achter.

Een wilde rit

Vrijdag is het koopavond en op de weg is het spitsuur. Overal auto's en fietsers. Mensen die van hun werk op weg naar huis zijn, of inkopen gaan doen.

Vreemd, denkt Jacko. Het dagelijks leven gaat gewoon verder.

'Opzij, opzij,' gromt Gaspar, terwijl hij een groene Fiat Zombie inhaalt. Hij blijft op de linkerweghelft rijden, steeds andere auto's passerend.

Af en toe moet hij snel naar rechts als er tegenliggers aan komen. Achter en voor hen toeteren automobilisten, maar Gaspar trekt zich er niets van aan. Met een verbeten gezicht schiet hij weer naar de linkerweghelft.

In de verte doemt een groen licht op. Gaspar moet weer rechts invoegen om een tegenligger te ontwijken. Het stoplicht wordt oranje en de gele kever die nu voor hen rijdt, remt af.

'Doorrijden, lammeling!' schreeuwt Gaspar. 'Ik heb haast.' De kever stopt en het licht springt op rood.

Op de linkerweghelft komt een stroom tegenliggers met verblindende koplampen hen tegemoet. Sneeuwvlokken dwarrelen in de lichtkegels. Gaspar kijkt in de achteruitkijkspiegel, gooit het stuur naar rechts en dendert het trottoir op. De wagen bonkt en schudt heen en weer.

Sara en Jacko rollen van de ene kant naar de andere. Gaspars tas zeilt over hen heen. De houten staken vliegen door de auto en kletteren boven hun hoofden tegen de achterruit.

Het is nog een wonder dat Sara en Jacko niet gespietst worden. Gaspar rijdt over het trottoir langs het rode stoplicht en slaat met slippende wielen rechtsaf. Hij stuurt de wagen weer de straat op. De kilometerteller staat op zeventig.

Achter hen loeit een sirene. Jacko draait zich om. Ja hoor. Door de achterruit ziet hij blauwe zwaailichten naderen. Gaspar heeft ze ook gezien in zijn spiegel, want hij vloekt. Even later worden ze ingehaald door een witte Volvo. Uit het raam steekt een arm, die gebaart dat ze moeten stoppen. De wagen gaat voor hen rijden.

'Vervloekt, vervloekt!' roept Gaspar en slaat op het stuur. Dan remt hij.

Twee agenten in uniform stappen uit de Volvo. In de lichtbundels van Gaspars koplampen komen ze eraan. De grootste agent, een dikke man met haar op zijn handen, tikt op het raam. Gaspar doet het open. Sneeuwvlokken waaien de cabine in. De andere agent haalt een opschrijfboekje uit zijn borstzak en slaat het traag open.

'Door rood licht rijden, inhalen op het trottoir en met zeventig kilometer door de stad,' zegt de grote agent. 'Dat is een mooie verzameling bij elkaar. Wil meneer misschien in het Guinness Book of World Records komen, of is meneer gewoon een maniak?'

Hij steekt zijn hoofd naar binnen en ziet Sara en Jacko op de achterbank zitten. Allebei houden ze een aantal houten staken in hun armen.

'En u brengt ook nog eens het leven van twee kinderen in gevaar,' zegt hij.

Gaspar strijkt over zijn voorhoofd. Hij zit zich op te vreten van woede. Snel werpt hij een blik op zijn horloge.

'Luister, agent. Ik ben geen snelheidsmaniak. Normaal rijd ik zo voorzichtig dat een bijziende dame in een rolstoel mij nog inhaalt, maar dit is een noodgeval. Mijn twee kinderen moeten om half zes in de schouwburg zijn. Ze treden op in een toneelstuk waarbij de hele school aanwezig is. Het is de grootste gebeurtenis van hun leven. Als we om halfzes niet daar zijn is het te laat.'

De agent kijkt met een merkwaardige blik naar de houten staken. 'Wat voor een toneelstuk is dat dan wel? Graaf Dracula soms?'

'Precies,' zegt Gaspar. 'Zij spelen de vampierdoders.'

De agent schudt zijn hoofd tegen zijn collega.

'Ik snap niet wat die kinderen aan die bloederige verhalen vinden. Mijn zoontje van twaalf is ook al dol op vampierfilms.'

Schiet op, leuter niet zoveel, het is bijna halfzes, denkt Jacko. Ik wil de pterodactylus nog een keer zien.

'Eigenlijk mag dit helemaal niet,' zegt de grote agent.

'U hebt ongeveer alle regels overtreden. Ik zou jullie mee moeten nemen naar het bureau, maar daarmee zou ik de avond bederven van deze twee vampierjagers.' Hij trommelt op het dak van de Landrover.

'Voor deze keer laat ik u gaan, maar als ik u ooit nog een keer betrap...'

'Dankuwel agent.' Gaspar is al weg voor de agent zijn zin heeft afgemaakt. Hij blijft keurig vijftig rijden, tot ze een hoek om gaan. Dan geeft hij vol gas en in een mum van tijd stopt de wagen voor de ingang van de schouwburg. Het is één minuut voor half zes. De vampiervoorstelling kan elk moment beginnen.

Sara verdwijnt

De glazen deuren van de schouwburg zwaaien open en de drie vampierjagers hollen naar binnen. Het is doodstil in de hal. Het geluid van hun voeten wordt gedempt door de dikke vloerbedekking.

De hal komt uit in een grote ruimte, waar de bar is en waar tafeltjes en stoeltjes staan. Ook deze ruimte is verlaten. In het midden staat een reusachtige kerstboom, waarvan de piek het plafond raakt. Veelkleurige lichtjes flonkeren in het gedempte licht.

Achter de boom is een brede trap die naar de bovenverdieping voert. Vandaar kun je het balkon in de zaal bereiken. Een eind voorbij de trap is een dubbele deur waarachter geroezemoes klinkt.

Jacko herkent het geluid, want hij heeft het al eerder gehoord. Geen tijd om zich daarover te verwonderen. Achter die deuren is de grote zaal, waar de uitvoering zal plaatsvinden. Er is geen beweging in de deuren te krijgen.

'Op slot,' gromt Gaspar. 'Varlok heeft de zaal afgesloten, zodat niemand kan ontsnappen.'

'Hoe kunnen we de zaal nog meer bereiken?' fluistert Sara.

Jacko denkt na. 'Boven, via het balkon, maar dan zijn we te ver van het podium. Wij kunnen niet vliegen, zoals Varlok.'

'Er moet toch ook een toneelingang zijn,' zegt Gaspar ongeduldig.

'Dat is waar ook. Achter de bar is de keuken en vandaar kun je bij de kleedkamers komen,' zegt Jacko. 'Ik ben daar een keer geweest.'

Snel lopen ze achter de bar om. Maar dan gaan alle lichten opeens uit. Ook de kerstboomverlichting dooft.

Op slag is het aardedonker. Gaspar gromt een verwensing. Hij rommelt in zijn tas. Er klinkt een klik en de lichtbundel van zijn zaklantaarn priemt door de duisternis. Maar het volgende moment floepen de lichten alweer aan.

Misschien was dat alleen maar een korte stroomstoring, hoopt Jacko.

'Vlug, naar de toneelingang,' zegt Gaspar.

Jacko kijkt om zich heen. Waar is Sara opeens gebleven? Ze is weg.

'Gaspar, Sara is weg.'

De vampierdoder kijkt om. 'Ook dat nog.'

Besluiteloos dwalen zijn ogen door de hal. In de zaal verstomt het geroezemoes.

'We hebben geen tijd om haar te zoeken,' zegt Gaspar. 'Zo dadelijk begint de voorstelling en Varlok moet daar binnen zijn. Misschien durft Sara op het laatste moment niet meer en is ze weggegaan.'

Hij zucht, alsof hij opeens moe is. 'Ik kan het haar niet kwalijk nemen, na die afschuwelijke ervaring in de directeurskamer.'

Jacko kan dat niet geloven. Het is niks voor Sara om op het laatste moment te vluchten. Ze heeft wel bewezen dat ze een flinke portie lef heeft. Er moet een andere reden zijn. Misschien speelt Varlok een spelletje met hen en heeft hij Sara nu in zijn macht. Die gedachte maakt hem woest.

'We moeten gaan, Jacko,' zegt Gaspar zacht. 'Als je ook liever weggaat, begrijp ik dat. Jullie hebben me al voldoende geholpen.'

'Geen haar op mijn hoofd die eraan denkt,' zegt Jacko.

Zonder Sara wil hij niet uit het gebouw vertrekken. Bovendien lokt het beeld van de pterodactylus hem nog steeds. 'Ik ga mee.'

Ze rennen de keuken door en komen terecht in een smalle gang. Hier is het geroezemoes uit de zaal luider. Aan de rechterkant zijn de deuren van de kleedkamers en links is de deur die naar het toneel leidt. Gaspar legt zijn hand op de klink van de toneelingang. Vastberaden duwt hij de deur open en ze gaan naar binnen.

Ze komen opzij, aan de achterkant van het toneel uit. In het duister ziet Jacko ook meneer Lobit achter de coulissen staan. Hij ziet Jacko en Gaspar niet maar staart ingespannen naar het toneel.

Op het podium schijnt van boven slechts één blauwe lamp. In de lichtcirkel op het midden van het podium staat de doodskist. Jacko ziet Tjaard Viguur en nog een paar jongens, verkleed als vampier, er onbeweeglijk omheen staan. Het decor bestaat uit vervallen muurtjes, nepspinnenwebben en zelfs een paar kartonnen grafzerken. Het ziet er luguber uit.

'Ik durf te wedden dat Varlok zich in de doodskist verstopt heeft,' fluistert Gaspar.

Er is geen tijd om Lobit te waarschuwen, want opeens beweegt het deksel van de doodskist. Langzaam gaat het omhoog en de directeur stapt in een wolk van mist uit de kist.

Jammer. Hij is geen pterodactylus meer, denkt Jacko en even is hij werkelijk teleurgesteld. Dan, tot zijn verbazing, begint Lobit te applaudisseren. Blijkbaar vindt hij het een goede stunt van de directeur. Het applaus wordt door de zaal overgenomen.

Krankzinnig! denkt Jacko.

Dan wordt het doodstil in de zaal. De directeur staat naast de kist. Nevelslierten kringelen om zijn voeten. Met luide stem richt hij zich tot de zaal.

'Beste leerlingen,' zegt hij. 'Het is zover. We weten allemaal waarvoor we hier zijn. De vampiervoorstel-

ling. Wat jullie niet weten, is dat er nog iemand ontbreekt. Namelijk de hoofdrolspeler van ons prachtige stuk.'

'Wat voert hij in zijn schild?' fluistert Jacko. 'Iedereen ziet toch dat Tjaard op het podium staat ?'

Gaspar schudt alleen maar zijn hoofd. Met een blik vol haat staart hij naar de vampier in directeursgedaante.

De directeur gaat midden in het podiumlicht staan.

'Nu is het tijd om de maskers te laten vallen,' zegt hij. Onmiddellijk wordt hij omgeven door een mistbank. Als de mist optrekt, staat daar Varlok, gehuld in een zwarte mantel. Glanzend zwart haar valt golvend over zijn hoge voorhoofd. Zijn gezicht lijkt uit marmer gehouwen, hard en spierwit, met brede jukbeenderen. Zijn ogen lijken twee druppels bloed en zijn lange hoektanden blikkeren in het podiumlicht.

Dus zo ziet hij eruit, denkt Jacko.

'En dan wil ik nu de hoofdrolspeler verzoeken het podium te betreden,' zegt de vampier met een sissende stem. Hij draait zich om en kijkt Jacko met zijn bloeddoorlopen ogen recht aan.

'Kom maar te voorschijn, Jacko!'

De voorstelling

Ik droom, denkt Jacko. Dat kan niet anders. Dit moet een droom zijn.

De vampier strekt zijn klauwachtige hand uit en wenkt Jacko bevelend.

'Vandaag,' zegt hij, 'zal Jacko toetreden tot de broederschap der vampiers.'

De verklede vampiers op het toneel kijken roerloos toe. Uit de zaal komt geen geluid. Blijkbaar denkt iedereen dat dit bij de voorstelling hoort.

Jacko wil vluchten maar doodsangst heeft zijn spieren verlamd.

Plotseling springt Gaspar naar voren met de houten staak in de aanslag. 'Het is voorbij, Varlok. Nu stuur ik jou voorgoed naar de hel!'

De vampier is niet in het minst verbaasd. Geamuseerd kijkt hij Gaspar aan.

'Ah, de vampierjager. Jij hebt ook een rol in het stuk gehad maar die is nu uitgespeeld. Jij hebt de jongen hierheen gebracht. Dat was voldoende.'

Zijn klauw grijpt Gaspars pols in een ijzeren greep. Een korte tijd staan de twee doodsvijanden roerloos tegenover elkaar. Alleen het trillen van hun handen bewijst dat hier een verschrikkelijke krachtmeting plaatsvindt. Ze kijken elkaar recht in de ogen en hun blikken kruisen elkaar, alsof het zwaarden zijn.

De vampier is bovenmenselijk sterk. Er ligt een kille glimlach op zijn gelaat. Het tegenhouden van Gaspars hand kost hem geen zichtbare inspanning.

Gaspars gezicht is vertrokken tot een masker van pijn en woede. Alleen de haat die hem drijft, houdt hem op de been.

'Geef het maar op, vampierjager,' grijnst Varlok. Het

lijkt of er een vuur in zijn ogen oplaait. En opeens bezwijkt Gaspar voor de kracht van de vampier. Hij slaakt een kreet van pijn. De staak valt uit zijn hand en Gaspar stort met een zucht neer.

'Gaspar!' schreeuwt Jacko. Radeloos kijkt hij de zaal in. Waarom doet niemand iets? Hij ziet de duistere gestalten van de toeschouwers in de zaal. Onbeweeglijk zitten ze op hun plaatsen. Leerlingen zowel als leraren. In het donker gloeien hun ogen rood op.

Dat kan niet waar zijn, denkt Jacko. Ongelovig kijkt hij naar de toneelspelers op het podium. Roerloos staan ze daar in hun vampierkostuums. De doffe rode blik in de ogen van Tjaard Viguur zegt genoeg.

Iedereen! denkt Jacko verbijsterd. Iedereen is besmet door het vampiervirus. Varlok heeft ze allemaal in zijn macht.

Gaspar ligt uitgeteld op het podium. Hij beweegt niet meer.

'Zo, Jacko, dit was alleen maar de inleiding van het stuk.' Varlok glimlacht als een vriendelijke oom naar Jacko.

'Nu is het tijd om tot de hoofdact over te gaan. Het gedeelte waarin de hoofdrolspeler zijn ware aard ontdekt en voorgoed een vampier wordt.'

Langzaam komt hij op Jacko af. Zijn voeten raken de grond niet.

Verstijfd van angst ziet Jacko de vampier op hem af komen.

'Nee,' schreeuwt hij met een zwakke stem. 'Ik wil geen vampier worden. Laat me met rust, monster.'

'Ts, ts, wat een taal,' zegt Varlok vermanend. 'En dat terwijl juist jij zoveel aanleg hebt om een vampier te worden. Wij zijn bloedbroeders, voel je dat niet? Heb je mijn gedachten niet opgevangen, toen ik je hierheen riep?'

Dat monster heeft zijn smerige gedachten op mijn geest geprojecteerd, denkt Jacko vol afschuw. Daarom dacht ik van die rare dingen, toen we door de school liepen.

'Kom, kom, kijk niet zo lelijk,' zegt Varlok vrolijk. 'Ik doe alles om het jou naar je zin te maken. Hoe vond je die pterodactylus? Die gedaante heb ik speciaal voor jou aangenomen. Dat was een aardig lokkertje, vind je niet? Je moeder heeft mij gisteravond nog verteld dat je zo dol bent op prehistorische dieren.'

Hij wist het! denkt Jacko. Hij wist dat we hem op het spoor waren. Dit alles is een vooropgezet plan omdat hij mij wil hebben. Maar waarom?

Varlok ziet de verbijstering op zijn gezicht en grijnst.

'Ik heb nog een prettige verrassing voor je in petto.' Hij knipt met zijn vingers en uit de coulissen stappen drie gedaanten te voorschijn. De zonnebrilvampiers. In hun midden loopt Sara. Haar gezicht is asgrauw.

'Kijk eens,' zegt Varlok stralend. 'Dit is het snoepje van de week. Zodra jij volledig vampier bent, mag je haar hebben. Zij is je eerste maaltijd, zal ik maar zeggen.' Een duivelse glimlach flitst over zijn gezicht.

Jacko ziet de angstige blik in Sara's ogen. Dat nooit, denkt hij. Ik moet Sara redden, al kost het me mijn leven. Naast hem op de grond staat de tas van Gaspar. Er zit nog een hele bundel houten staken in. Razendsnel bukt hij en trekt een staak uit de tas.

'Loop naar de maan, vieze vampier!' schreeuwt hij en heft de staak om Varlok te doorboren.

Varlok glimlacht en schudt zijn hoofd.

Een hand grijpt Jacko van achteren beet en de staak

klettert op de toneelvloer. Jacko draait zich om. Het is meneer Lobit. Zijn ogen zijn geel als de ogen van een kat en hij heeft lange, puntige tanden.

'Ik zou het niet doen, Jacko,' zegt hij. Hij trapt de tas weg en de staken rollen over het podium.

'U... u ook al,' stamelt Jacko.

'Natuurlijk,' zegt Varlok stralend. 'Lobit is een goede kracht. Hij is heel bijzonder, want er zijn maar weinig vampiers die gewoon door het daglicht kunnen wandelen. Lobit is een van die uitzonderingen. Hij is een half-vampier en hij regelt de zaken, die ik overdag zelf niet kan uitvoeren. Nietwaar, Lobit?'

De bijzondere vampier knikt onderdanig. Zijn hand rust nog steeds als een stalen klem op Jacko's schouder.

'Lopen!' Hij duwt Jacko naar het midden van het podium, waar Sara op haar knieën zit. De zonnebril-vampiers staan achter haar en houden haar armen op haar rug vast.

De toeschouwers in de zaal en de toneelvampiers op het podium kijken onbewogen toe. Niets van wat er gebeurt lijkt tot hen door te dringen. Lobit dwingt Jacko ook op zijn knieën. Hij duwt zijn hoofd opzij, zodat zijn nek vrij komt.

Varlok komt naderbij. Zijn ogen gloeien koortsachtig en hij likt langs zijn puntige hoektanden. 'Dit zijn de spelregels, Jacko. Ik bijt jou waardoor jij ter plekke in een vampier zult veranderen. Vervolgens bijt jij haar en daardoor ben je opgenomen in de broederschap der vampiers.'

Jacko rukt en wringt met zijn lichaam, maar Lobit houdt hem moeiteloos op zijn plaats.

Sara kijkt hem met grote angstogen aan. Er rollen tranen over haar wangen. Om haar heen de grijnzende bleke gezichten van de zonnebrilvampiers. Ze stompen elkaar en grinniken vol verwachting. Zwijgend loeren de rode ogen vanuit de zaal naar het toneel. Gaspar geeft nog steeds geen teken van leven.

Nu is alles verloren, denkt Jacko.

'Bereid je voor, Jacko,' sist Varlok.

Hij legt zijn hoofd in zijn nek, trekt zijn lippen terug. Zijn gebit groeit tot het de afmetingen heeft van een baviaangebit. Het lijkt of er vonken van afspringen.

Een luid gebonk verstoort de stilte. Zware bonzen dreunen door de zaal, gestommel, en opgewonden gemompel. Verstoord kijkt Varlok opzij. Uit zijn concentratie gehaald. Wat is dat voor herrie?

Opnieuw galmen zware klappen door de zaal. De grote zaaldeur vliegt opeens aan splinters. Door de opening valt een streep licht in de zaal. Een donkere kluwen gedaanten worstelt zich door het gat naar binnen.

Alarmbellen schellen door de zaal en lichten flitsen aan en uit. Een vonk hoop gloeit op in Jacko. Lobit kijkt verbluft de zaal in.

Over het gangpad nadert een zonderling groepje. Mannen met alpinopetjes, pijpen en sigaren. Vrouwen in bloemetjesjurken, sommigen met malle hoedjes op. Helemaal achteraan herkent Jacko Valeriaan de vleermuisvanger in zijn flitsende rolstoel. En daar is mevrouw Achterhuis, de werkster. Ze zwaait met de bijl waarmee ze de deur ingeslagen heeft. En aan het hoofd van het groepje loopt opa. Het vreemdst van alles is dat de oudjes zonder uitzondering tandenloos zijn. Niemand heeft een gebit in.

'Opa!' schreeuwt Jacko.

De blije klank in zijn stem doet Sara opkijken.

'Wie zijn dat?' fluistert ze.

'Opa en de OVD.'

Een kort moment is Varlok van zijn stuk gebracht. Dan barst hij in lachen uit.

'Kijk eens aan,' zegt hij tegen Lobit. 'Nu sturen ze zelfs ouden van dagen op mij af.' In zijn volle lengte richt hij zich op.

De bejaarde bezoekers lopen tussen de roerloze rijen toeschouwers door, recht naar het podium. Allemaal houden ze een lang dun gebogen voorwerp onder hun arm.

'Wat moeten jullie hier, oudjes?' zegt Varlok spottend. 'Wij zijn hier met een toneelstuk bezig. De bijeenkomst van de bejaardenvereniging is ergens anders.'

De vreemde groep blijft stilstaan in het gangpad. Het is opa, die de vampier zonder angst aankijkt.

'Wij zijn ook geen gewone bejaarden, Varlok,' zegt hij. 'Wij zijn de Onbevreesde Vampier Doders.'

Het volgende moment heeft opa een handboog in zijn hand. Razendsnel legt hij er een pijl op, richt op het hart van de vampier en laat de pees los. Als een schicht zoeft het projectiel op het podium af.

Voor Varlok van zijn verbazing bekomen is, boort de pijl zich in zijn borst. Op hetzelfde moment richten de andere bejaarden hun bogen. Een regen van houten pijlen zoeft op het podium af. Mevrouw Achterhuis legt aan en Lobit stort neer met een pijl in zijn keel. Valeriaan de vleermuisvanger schiet vanuit zijn rolstoel met een kruisboog. De drie zonnebrilvampiers vallen als blokken achterover. Van het ene op het andere moment zijn alle vampiers geveld.

Jacko staat zo snel als hij kan op. Hij helpt Sara overeind en slaat zijn armen om haar heen. Vol verbazing staart hij over haar schouder naar Varlok. De vampier kronkelt krijsend over het podium. Zijn klauwen rukken aan de pijl die uit zijn borst steekt. Het lijkt of hij in

brand staat. Er begint rook uit zijn neus te walmen en zijn huid smelt gewoon weg.

Lobit ligt in een vreemde houding achterover. Zijn armen krimpen in zijn mouwen, zijn hoofd verschrompelt en zijn benen verdwijnen in zijn broekspijpen. Er blijft niets van hem over dan een stapel kleren. Van de zonnebrilvampiers zijn alleen nog laarzen en zonnebrillen over. Ze zijn eenvoudig opgelost in het niets.

Varlok kijkt alsof hij in brand staat. Hij verandert in een skelet, dat ratelend over het podium rolt. Dan klinkt een enorme knal. Varloks beenderen en ribben worden in honderden stukjes door de zaal verspreid. Zijn schedel vliegt in de lucht, zeilt het podium af en landt met een doffe klap precies voor de voeten van opa.

Opa tilt zijn been op en zet zijn voet op de kale, glimmende schedel, waarin de vampiertanden nog zichtbaar zijn.

'Ziezo, jij zult nooit meer iemand kwaad doen, bloedzuiger. Jij bent voorgoed uitgebeten.'

Uit de doodskop ontsnapt een kreet vol haat, die langzaam wegsterft. De laatste kreet van Varlok. Het geluid wordt weggezogen, alsof het in een diepe afgrond verdwijnt. Dan valt de schedel uiteen tot gruis.

'Ik zei het toch,' grijnst opa tegen mevrouw Achterhuis, die hem een verliefde blik toewerpt, 'pijlen van essenhout, daar dood je elke vampier mee. Een fluitje van een cent.'

Jacko en Sara rennen het podium af, naar opa. De overige leden van de OVD glimlachen en feliciteren elkaar met hun werk.

Op het podium komt Gaspar kreunend overeind. Als hij ziet wat er gebeurd is, rollen de tranen over zijn wangen.

'Eindelijk, nu kan ik huilen van geluk,' roept hij. 'Mijn vrouw, mijn dochtertje en Vladimir zijn gewroken.'

Op de achtergrond komt de zaal tot leven. Geschreeuw, verbaasde kreten. Iedereen lijkt te ontwaken uit een droom. De verklede vampiers op het toneel staren verdwaasd om zich heen. Niemand begrijpt wat er aan de hand is. Nu Varlok vernietigd is, zijn zij niet langer in zijn macht. Elke leerling die aan de vampierziekte leed, is op slag genezen. De vampiervoorstelling heeft een *happy end* voor iedereen. De koningsvampier is voorgoed vernietigd.

Tenminste…

De vampierlijn

Jacko ligt in bed. Het is al diep in de nacht maar hij heeft veel om over na te denken.

Terwijl de schouwburg nog in rep en roer was, is hij met opa en Sara naar buiten geslopen. Voor de schouwburg hebben ze een taxi genomen. Sara was nog wel een beetje in de war maar had toch alweer kleur op haar wangen.

'Ik kan niet geloven dat dit echt gebeurd is, Jacko,' zei ze met een frons op haar gezicht.

'Ik ook niet, Sara, maar het is nu voorbij. Beschouw het maar als een boze droom.' Ze omhelsden elkaar op de achterbank van de taxi. Opa wierp een schuine blik naar hen en giechelde.

Toen ze Sara afgezet hadden, reed de taxi hen naar huis. Zijn moeder lag op bed, onbewust van alle gruwelen die zich afgespeeld hadden. De griep had haar vroeg in de middag al geveld.

Ze zaten onder het licht van de schemerlamp. Opa sprak fluisterend.

'De OVD is een club vampierjagers, dat heb je inmiddels wel begrepen, Jacko.'

Jacko knikte. Hij kon er nog niet over uit.

'Wij zijn een stelletje bejaarde gekken die gezworen hebben de bevolking te beschermen tegen vampiers.'

Opa giechelde, alsof hij het allemaal een goeie grap vond. 'Enfin, toen Varlok in onze stad neerstreek, hadden wij dat snel in de gaten. Wij hebben overal onze spionnen.'

'Zoals mevrouw Achterhuis,' zei Jacko.

'Precies,' zei opa. 'Ik begon te vermoeden dat Varlok het op jou gemunt had.'

'Waarom zei u dan niks?' riep Jacko. 'Ik dacht dat u

een beetje gek aan het worden was.'

'De OVD werkt altijd in het geheim,' zei opa streng. 'Alleen daardoor hebben wij jarenlang onze strijd kunnen voeren, zonder dat ze ons in het gekkenhuis stopten. Zelfs tegenover familie moeten wij zwijgen als het graf.'

'Waarom dacht u dat hij achter mij aanzat, opa?'

Opa kuchte. 'Tja, zie je, dat heeft met onze familiegeschiedenis van de Roemeense kant te maken. We zijn er gevoelig voor, zogezegd, zoals sommige mensen gevoelig zijn voor tocht. Één vampierbeet is voldoende om van ons ogenblikkelijk een volledige vampier te maken. Andere mensen moeten eerst sterven voor ze vampier worden, maar bij ons is het meteen raak.'

'U bedoelt…'

Opa knikte. 'Er loopt een vampierlijn door onze familie. Dat heeft een oorzaak: Varlok is onze stamvader.'

Jacko voelde hoe zijn mond openviel.

'Sterker nog,' zei opa. 'Jouw vader was een vampier. Hij is niet in zee gestorven maar gedood door een vampierjager.' Opa keek Jacko treurig aan. 'Ergens is dat een geluk, want anders had ik hem zelf moeten doden.'

'Weet mama daarvan?' fluisterde Jacko.

Opa schudde zijn hoofd. 'Jouw moeder is een nuchtere Hollandse. Zij weet niets van de vampierlijn in onze familie. En dat moet zo blijven.' Hij boog zich naar Jacko toe. 'Varlok wilde van jou op je dertiende verjaardag zijn kroonprins maken, snap je. Daarom maakte hij er zo'n heisa van. In de schouwburg, met publiek erbij. Je moet niet vergeten dat hij ooit een edelman was en van pracht en praal hield.'

'Dus, u hebt mij gebruikt om hem in de val te lokken,' riep Jacko.

'Sst, niet zo hard, je maakt je moeder nog wakker,' fluisterde opa. 'Dit was de enige manier om hem te pakken te krijgen. We wisten niet wie hij was. Pas toen hij 's avonds als directeur bij ons voor de deur stond had ik hem door. Ik bespiedde hem vanuit de keuken, terwijl hij met je moeder praatte, maar ik kon niks doen. 's Avonds hielden we een spoedvergadering van de OVD en we besloten hem tijdens de voorstelling uit te schakelen. Mevrouw Achterhuis had uitstekend werk gedaan en we waren op de hoogte van alles wat er zich op jullie school afspeelde.'

Jacko keek opa heel lang aan. 'Als u te laat gekomen was en hij had mij gebeten…'

Er verscheen een harde blik in opa's ogen. 'Dan, Jacko, had ik jou moeten doden.' Meteen verzachtte zijn blik weer. 'Maar daar moet je niet over piekeren, Jacko. Alles is goed afgelopen, de vampier is vernietigd. Ga jij nu maar lekker slapen.'

'Een ding begrijp ik nog niet, opa,' zei Jacko peinzend. 'Waarom hebben de leden van de OVD geen tanden?

Opa gluurde naar Jacko met pretlichtjes in zijn ogen. 'Dat, Jacko, is het allergrootste geheim van de OVD. Wij zijn allemaal ex-vampiers, die genoeg hadden van het vampierbestaan. Wij hebben onze tanden laten trekken en een soort ontwenningskuur voor vampiers gevolgd. Knoflooktherapie, wijwaterkuren, dat soort dingen. Daarna hebben wij gezworen nooit meer een gebit te dragen en vampiers te bestrijden zo lang als wij leven.'

'Dus... u ook!'

'Krek,' grinnikte opa. 'Ik ben ook een vampier geweest. Eigenlijk ben ik honderdtachtig jaar oud.'

FOTO: Sjaak Ramakers

Paul van Loon over *Vampier in de school*

Vampier in de school is eigenlijk mijn eerste echte griezelboek. Inmiddels is het bijna twintig jaar geleden dat ik dit boek over Varlok schreef. Maar zoals het hoort bij een goede vampier, is hij onsterfelijk en komt hij steeds terug. Nu weer met een prachtig nieuw jasje, getekend door Hugo van Look.

De oude vampier doet zijn werk nog steeds goed. Laatst kwam ik iemand tegen, die vertelde dat *Vampier in de school* haar vroeger een hele nacht wakker gehouden had. Ze vond het zo spannend dat ze bleef doorlezen. Maar toen ze het boek uit had, kon ze niet meer slapen, omdat ze het zo griezelig spannend gevonden had.

Kijk, jongens en meisjes, dat doet mij plezier! De bedoeling van een griezelboek is dat je blijft lezen én griezelen. En ach, één slapeloos nachtje is zo erg toch niet? Vampiers hebben alléén maar slapeloze nachten, want zij slapen overdag.

Als je je nu echt zorgen maakt over vampiers, moet je de handige tips achterin dit boek maar eens lezen. Als je die allemaal uit je hoofd geleerd hebt, mag je het bordje *Vampierexpert* op je deur hangen. Dan durft beslist geen enkele vampier ooit jouw huis binnen te dringen.

Hartelijke bloedgroet,

20 augustus 2007

Handige tips tegen vampiers

Als je per ongeluk tegenover een vampier komt te staan, of als je vampierjager wilt worden, is het handig om te weten wat je moet doen. En weten alleen is niet genoeg. Je moet dapper, sluw, slim en geslepen zijn. Je moet de vampier kunnen opjagen en in de val lokken. Of misschien moet je hem soms juist uit zijn schuilplaats lokken. Daarvoor zijn vindingrijkheid en geduld nodig. Vampiers zijn beslist niet gek en vaak hebben ze snel in de gaten dat er iemand op hen jaagt. Voor je het weet, zijn de rollen dan omgedraaid en is de vampier de jager geworden, die jou in de val lokt.

Kijk hem of haar in elk geval nooit in de ogen, want dan ben je meteen verloren. Je kunt proberen hard weg te rennen, maar waarschijnlijk is de vampier sneller. Of je doodt hem, dan ben je overal vanaf. Dan moet je natuurlijk wel weten hoe dat moet. Een vampier kan alleen maar op speciale manieren gedood worden. Soms is tijdelijk uitschakelen of vangen voldoende. Voor de aankomende vampierjager is het absoluut noodzakelijk dat hij de onderstaande methoden kan dromen!

1 HOUTEN STAAK

De bekendste methode om een vampier onschadelijk te maken is met de houten staak, liefst een staak van essenhout. Het kruis waaraan Christus gestorven is zou van essenhout gemaakt zijn. Vandaar dat deze houtsoort een speciale betekenis zou hebben. Volgens andere verhalen zou het kruis van eikenhout gemaakt zijn, dus in dat geval zou ook de staak van eikenhout moeten zijn. Kies maar uit.

Misschien werkt een puntig geslepen stoelpoot net zo goed. Zelfs een potlood met een scherpe punt is beter dan niets. De staak dient in elk geval door het hart van de vampier geslagen te worden, waardoor hij aan de aarde vastgenageld wordt. Het is een oude, beproefde methode, die al in de volksverhalen uit de vijftiende eeuw werd toegepast. Later, in films, veranderde dat en was het voldoende de vampier met de staak te doorboren. In beide gevallen is het een vies karweitje met rondspattend bloed. Daarbij slaakt de vampier ook nog eens vreselijke kreten. Oordopjes en vlekkenoplosmiddel zijn dus geen overbodige luxe voor de vampierdoder. Maar als het allemaal goed gaat, verandert de vampier uiteindelijk in een hoopje stof en heb je alleen nog veger en blik nodig.

Mocht je geen houten staak kunnen vinden, dan is het geruststellend te weten dat in het boek *Dracula* de vampier uiteindelijk vernietigd wordt met een Bowiemes, een soort dolk.

2 HOOFD AFHAKKEN

Net zo smerig als de staak en vaak op de lange duur niet eens afdoende. Geadviseerd wordt om als toetje ook de houten staak te gebruiken en knoflook in de mond van de booswicht te proppen.

Om te voorkomen dat iemand een vampier werd, wilde men ook wel eens bij een lijk het hoofd afhakken en het in azijn koken.

3 DAGLICHT

Hou de vampier aan de praat tot het ochtend wordt, lees hem een interessant boek voor, geef hem een kruiswoordpuzzel. Of open zijn kist op het midden van de dag. Hij verdwijnt als sneeuw voor de zon.

4 VUUR

Verbranden werkt ook goed. Je hoeft er zelfs 's nachts niet voor op te blijven, want je doet het wanneer de vampier in zijn kist ligt te slapen. Bind eerst touwen of kettingen om de kist, anders lukt het niet. Als de vampier vuur ruikt, wordt hij wakker en zal hij proberen uit de kist te ontsnappen. Wees dus niet zuinig met touwen en zet daarna de hele boel in de fik.

5 WIJWATERBAD

Als de vampier niet in bad wil, laat je gewoon zijn kist vol lopen, wanneer hij erin ligt te slapen. Een vampier is doodsbang voor wijwater, omdat het uit de kerk afkomstig is. Als zijn huid in aanraking komt met wijwater, krijgt hij brandwonden.

6 KRUISBEELD

Hiermee kun je in sommige streken in de Balkan heel jonge vampiers doden. Oude vampiers deinzen er alleen voor terug. Als je hun huid ermee aanraakt, veroorzaakt dat een schroeiplek. Vampiers die niet christelijk zijn opgevoed zijn niet bang voor kruisbeelden, maar misschien wel voor religieuze symbolen van andere godsdiensten, bijvoorbeeld de joodse davidsster.

7 ZILVEREN KOGEL

Eigenlijk bedoeld voor weerwolven, maar
werkt ook bij vampiers. Misschien vooral bij vampiers,
die eerst een weerwolf waren. De kogel moet dan wel
door een priester gewijd zijn. Hou daarna de dode vampier uit het maanlicht, anders komt hij weer tot leven
en kun je opnieuw beginnen. Een parasol kan misschien handig zijn, dus.

8 KNOFLOOK

Knoflook wordt van oudsher beschouwd als
een afweermiddel tegen slangen, schorpioe-
nen, heksen en vampiers. Toch moet je ook
met knoflook voorzichtig zijn. In 1973 werd in
Stoke-on-Trent in Engeland de Poolse immigrant
Demetrious Myiciura dood aangetroffen. De man
geloofde echt in vampiers en had als bescherming knoflook in zijn mond gestopt, om zo veilig de nacht door te
komen. Helaas voor hem bleef een teentje knoflook in
zijn keel steken en stikte hij in zijn slaap. Zijn angst
voor vampiers werd zijn dood.

Knoflook tegen vampiers is prima in combinatie
met een houten staak en/of kop afhakken.

9 INJECTIE MET WIJWATER

Riskant. Hiervoor moet je wel heel
dicht in zijn buurt komen en liefst
enige ervaring als doktersassistent
hebben. Als je de vampier met wijwater hebt ingespo-
ten, verbrandt hij van binnenuit.

10 OPSLUITEN IN EEN FLES

Zeer moeilijke kunst. Kan alleen uitgevoerd worden door Bulgaarse of Maleisische tovenaars. De tovenaar verstopt zich in een hinderlaag met de afbeelding van een of andere heilige figuur bij zich als bescherming. Wanneer de vampier verschijnt, drijft de tovenaar hem met behulp van een talisman, een heilig voorwerp, in de richting van een fles, gevuld met het lievelingsvoedsel van de vampier, bloed dus. De vampier heeft geen keus. Hij wordt onweerstaanbaar aangetrokken door het bloed en hij vlucht in de fles. De tovenaar sluit de fles af met een kurk en werpt hem in het vuur, zodat de vampier vernietigd wordt.

Knappe jongens, die Bulgaarse en Maleisische tovenaars.

11 DHAMPIER

Kijk in de Gouden Gids onder de D en laat een dhampier(dat is de zoon van een vampier) het karwei voor je opknappen, als je het liever aan een vakman over laat. Je roept tenslotte ook een loodgieter als je ernstige problemen met je afvoer hebt. Ieder zijn vak. Vraag de dhampir naar garantie, zodat je niet twee keer hoeft te betalen als het de eerste keer mislukt. Net zoals bij de loodgieter, dus.

D.HAMPIER
specialist
tel, ...

12 LINKERSOK

Steel de linkersok van de vampier. Erg ongebruikelijke manier, die slechts in bijzondere gevallen werkt. Vul de sok met aarde uit het graf, of stenen en gooi hem ver buiten de bebouwde kom naar een rivier. Voorwaarde is natuurlijk wel dat de vampier sokken draagt.

136

Slim, sluw en geslepen

Als je deze informatie goed in je oren geknoopt hebt, moet je je eerlijk afvragen of je slim, sluw en geslepen genoeg bent om het als vampierjager te proberen. Er zijn vampierjagers die zich heel stoer voordoen maar op slag al hun kennis vergeten op het moment dat ze oog in oog met de vampier staan. Of ze twijfelen ineens. Dat is gevaarlijk! Een vampierjager mag nooit twijfelen. Als hij de vampier met een kruisbeeld te lijf gaat, zal het kruisbeeld opgloeien. Twijfelt de vampierjager opeens aan de kracht van het kruis, dan wordt het dof en nutteloos. En natuurlijk zijn er altijd vampierjagers, die van de zenuwen plotseling links en rechts niet meer uit elkaar kunnen houden. Die stelen dan de rechtersok van de vampier...

Reden genoeg om er dus eerst ernstig over na te denken of je wel geschikt bent als vampierjager. Anders is loodgieter ook een mooi beroep.

De griezelbus 1

Waarin de schrijver P. Onnoval groep acht van basisschool de Tulp meeneemt voor een speciale tocht in zijn Griezelbus. Een tocht vol met griezelverhalen, grumor, geheimen en een weerwolf…

De griezelbus 2

Waarin vier kinderen op auto-kerkhof 'Roest zacht' de Griezelbus ontdekken en P. Onnoval weer tot leven komt op begraafplaats 'Rust zacht' om nieuwe griezelverhalen te vertellen en de kinderen in de klauwen van een vampier te lokken…

De griezelbus 3

Waarin de Griezelbus opduikt in een bekend automobielmuseum en P. Onnoval als geest herleeft in de Andere Werkelijkheid (AW) om een groepje kinderen zijn griezelverhalen letterlijk te laten beleven…

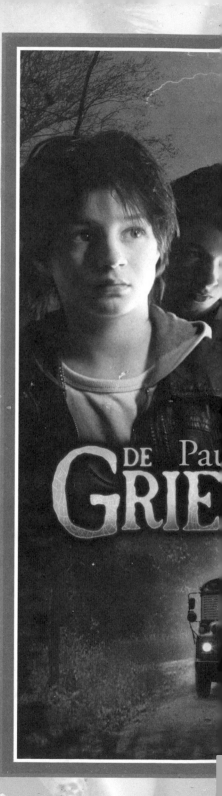